【改訂新版】

日本国憲法へのとびら 2訂

―いま、主権者に求められること―

著 片居木英人
　　福岡　賢昌
　　長野　典右
　　安達　宏之

法律情報出版

はじめに
～憲法を学ぶことの意味～

　この本を手にしてくださったみなさん、初めまして。この本の執筆者です。
　さてこれから各章を通じて『日本国憲法へのとびら―いま、主権者に求められること―』と題して、主権者となるあなたへ、さまざまな想いや願いをこめて、語りかけていきたいと思います。
　「主権者であること」と「主権者になること」は、同じようですが、まったく違います。日本国の主権者であること、とは日本国籍をもつ者ならば、赤ちゃんでも、子どもでも当てはまります。しかし、主権者になること、とは18歳以上の者となり、有権者となって選挙で投票権をもつということなのです。言葉を続けると、実際に参政権（政治に参加する権利）をもち、国政（国の政治）のあり方を最終的に決定する力を有する、ということです。ですから、その役割と責任は大きいのです。例えば、選挙の投票の際に「誰でもいい」とか「どの政党でも同じ」といって、いい加減に投票してしまったらどうでしょう。「せいじってムズかしい、わからない」といって棄権――投票権を放棄――してしまったらどうでしょう。不満があっても、それは現状を変える力にはならず、結局はあきらめて、現実に従うしかなくなってしまいます。「しかたがない」では、あまりにもったいないと思いませんか。せっかく政治のあり方を最終的に決定する力をもっているのです。何とか選挙の際に有効に使っていきたいものです。
　みなさんは、大学では学生、働いていれば社会人、家にいれば誰だれさんの子ども、あるいは誰だれさんのお姉さん・お兄さん（？）、～さんの恋人（？）、アルバイト先ではバイト生、実習先では実習生、自動車教習所では教習生などなど、じつにさまざまな顔や社会的身分をもっています。しかし、18歳以上の者として、参政権を実際的に行使する「有権者」としての顔ももち、国民主権の政治的地位にもいるのです。
　そんな大切な、選挙権をもつ主権者となるあなたへ、日本国憲法からメッセージを贈りたいのです。主権者として是非知っておいてほしい憲法のこと、人権のこと、平和のこと、政治の仕組みのこと、まだまだたくさんあります。それらが各章からやさしく、ときに"鋭く"届けられます。どうぞ、そのそれぞれ

のメッセージを受けとめていただき、日本国憲法の理解の上に立った、真の「主権者」となっていただきたいと願っています。なお、メッセージは、表現等の最小限の統一は試みましたが、それぞれの執筆者の「個性」をだいじにしてあります。主張の強弱の違い、内容の一部重複もありますが、多様性の表れとして受けとめていただき、お読みいただければ幸いです。

憲法学者であり、哲学的人間学の研究に打ちこんでこられた小林直樹先生は、その著『憲法を読む』（岩波新書、1966）の「あとがき」の中で次のように述べられます。「『憲法を読む』ということは、憲法典の条文を読むだけのことではなく、その精神を読むことであり、同時に政治の現実を読むことである。それはまた、条文の中に蓄積された人類の歴史と体験を理解することであり、同時にそれを通じてわれわれの足もとの生活を見直すことでもある。したがって、国民が憲法を生き生きとした眼で読むならば、それは平和と民主主義の理念を社会の現実の場に実現するための第一歩であり、また愛する国の未来を切り開いてゆく重要な第一歩となるであろう。…」と（同書242ページ）。

どうでしょうか。私たちのこの本も、『憲法を読む』と同じ想いから出発していきたいと思います。それでは、私たちの『日本国憲法へのとびら』の、その「とびら」を開いていくことにいたします。

執筆者を代表して　　片居木　英人

このたび、『【改訂】日本国憲法へのとびら―いま、主権者に求められること―』をリニューアルし、【改訂新版】として出版することにしました。より読みやすくするために各章の中に「小見出し」を付けました。また補章「原発事故・放射能問題と憲法の精神」を新5章「日本国憲法の精神と環境権」として、本書の憲法（人権保障）体系論に組み込みました。また各章にわたって最小限必要な情報を加筆、修正しました。

憲法改正をめぐる政治的動向から目の離せない状況が続いている今日、小林直樹先生の『憲法を読む』と同じ思いから出発するところから、は変わることなく、ここでまた改めて、私たちの『【改訂新版】日本国憲法へのとびら―いま、主権者に求められること―』の「とびら」を開いていくことにいたします。

2019年3月吉日　片居木　英人

目　次

はじめに〜憲法を学ぶことの意味〜

第1章　憲法とは何か……………………………………………5
　1．憲法は「権力」を縛るもの……5
　2．憲法ならば何でもいい、というわけにはいかない……6
　3．明治憲法はどうだったのか……7
　4．「法の支配」と法治主義はちがう……7
　5．憲法は社会的権力や私的権力に対しても効力を及ぼす……9

第2章　日本国憲法はこうして生まれた………………………12
　1．日本国憲法の制定過程……12
　2．日本国憲法は「押しつけ憲法」か……15
　3．日本国憲法の民定性……17

第3章　日本国憲法の基本原理…………………………………19
　1．国民主権……19
　2．基本的人権の尊重……21
　3．平和主義……22
　4．日本国憲法の構成……23

第4章　基本的人権の種類と内容………………………………33
　1．憲法13条（個人としての尊重、生命権・自由権・幸福追求権の
　　　　　最大の尊重）……33
　2．平等権……38
　3．自由権……40
　4．社会権……43
　5．参政権……47
　6．請求権……51

7．基本的人権と「公共の福祉」‥‥‥53
　8．国民の三大義務‥‥‥54

第5章　日本国憲法の精神と環境権‥‥‥‥‥‥‥‥‥‥‥‥‥‥‥57
　1．平和と環境‥‥‥57
　2．公害問題と地球環境問題‥‥‥58
　3．環境権とは‥‥‥59
　4．福島第一原子力発電所事故と放射能問題‥‥‥60
　5．公害も環境破壊もなく、人も生きものも、にぎやかな社会へ‥‥‥63

第6章　日本国憲法がめざす平和主義‥‥‥‥‥‥‥‥‥‥‥‥‥‥64
　1．9条誕生の歴史‥‥‥64
　2．日本の再軍備から今日まで‥‥‥66
　3．軍隊をもつことの意味‥‥‥71
　4．9条をどう活かすのか‥‥‥72

第7章　国民主権とは‥‥‥‥‥‥‥‥‥‥‥‥‥‥‥‥‥‥‥‥‥74
　1．主権の意味‥‥‥74
　2．国民主権の内容‥‥‥75
　3．明治憲法下の天皇主権‥‥‥75
　4．日本国憲法下の象徴天皇制‥‥‥76
　5．憲法施行時に国が普及しようとした国民主権の考え方‥‥‥77
　6．国民主権原理と選挙制度‥‥‥78
　7．主権者として私たちに何が求められているのか‥‥‥79
　8．主権者として、国民として‥‥‥79

第8章　国家権力の分立‥‥‥‥‥‥‥‥‥‥‥‥‥‥‥‥‥‥‥‥81
　1．権力分立の原理‥‥‥81
　2．権力分立制の現代的変容‥‥‥83
　3．日本における議院内閣制‥‥‥84
　4．二大政党制‥‥‥84
　5．政党の役割と政党政治‥‥‥85

目　次

第9章　国会のしくみとはたらき …………………………………88
1．衆議院と参議院 ‥‥‥‥88
2．選挙制度 ‥‥‥‥89
3．国会の仕事 ‥‥‥‥91
4．国会の種類 ‥‥‥‥93
5．国会改革 ‥‥‥‥94

第10章　内閣のしくみとはたらき …………………………………95
1．内閣とは ‥‥‥‥95
2．内閣総理大臣 ‥‥‥‥95
3．内閣の職務 ‥‥‥‥98
4．内閣の総辞職 ‥‥‥‥98
5．議院内閣制 ‥‥‥‥99
6．衆議院の解散 ‥‥‥‥99

第11章　裁判所のしくみとはたらき ………………………………101
1．裁判所の種類 ‥‥‥‥101
2．違憲審査権 ‥‥‥‥103
3．最高裁判所裁判官国民審査 ‥‥‥‥103
4．裁判員制度 ‥‥‥‥105

第12章　財政と租税（税金） ………………………………………109
1．国家予算 ‥‥‥‥109
2．国（政府）の負債 ‥‥‥‥110
3．租税（税金） ‥‥‥‥113

第13章　地方自治とは ………………………………………………117
1．中央集権と地方分権 ‥‥‥‥117
2．道州制 ‥‥‥‥121

第14章　憲法保障と憲法改正 …………………………………123
　1．憲法保障とは ……123
　2．憲法改正とは ……125

第15章　「平等・発展・平和」と日本国憲法 ……………130
　1．日本国憲法と重なって ……130
　2．重要な国際年との関連での憲法理念の理解 ……131
　3．発展の権利 ……133
　4．「婦選は鍵なり」 ……134

おわりに ………………………………………………………137
Words & Phrases …………………………………………139

■日本国憲法■ …………………………………………巻末1

第1章　憲法とは何か

「国民が国家権力を縛り、国家に国民の権利と自由を守らせるもの」
―これが憲法です！

1. 憲法は「権力」を縛るもの
―国民が憲法によって国家権力をコントロールします

　憲法とは何でしょう。ズバリ！それは、国民の権利と自由を守るために国民が国家権力を縛るものです。国家権力が国民を縛るものでは、決してありません。これは「譲ることのできない」基本です。国家権力とは、国家が現体制の秩序を維持していくために国民を従わせる強制力です。例えば、徴税（課税権）、警察による治安の維持や犯罪の取締り（治安警察権）、有事の際に軍隊を動かすこと（軍事権）、刑務所へ収容して自由を制限すること（収監権）、死刑執行権、などなどです。容易に「反対」することはできません。国家権力を巨大な"怪獣"とイメージしてみてください。かつてトマス・ホッブズ（イングランドの哲学者）は国家をリヴァイアサン――怪物――ととらえました（1651年）。もしも、絶大な力をもった権力者や政治家が現れ、怪獣のように、意のままに、やりたい放題し放題で国民の権利や自由を蹴散らし、踏みつぶすとしたら、どうでしょう。自分たちに都合のいいきまりや法令（法律や命令）をつくり、それを力ずくで推し進めるとしたら、どうでしょう。もしも、絶大な力をもった権力者や政治家が親衛隊で周りを何重にも固め、自分たちに反抗したり抵抗したりする者があれば警察力や軍事力で封じ、見せしめとして問答無用で残虐に殺していく、としたらどうでしょう。でも、しかし、本来これが国家権力の本質であり、実際、そのような歴史が今日まで繰り広げられてきました。そして今も続いている国があるのです。国家権力、それは国民に恐怖と欠乏（絶望感）を与え、支配・統制し、全国民を服従させる強大な力なのです。それに縛りをかけるものが「憲法」です。憲法は国家権力を制限するもの、このとらえ方を大切にしていきましょう。

　国家権力という、巨大な"怪獣"の横暴を許していていいのか、黙っていていいのか――ここに憲法が登場することになります。国家権力の暴れそうなさまざまな部位にあの手この手で縄を打ち、その巨大な力に縛りをかけたのです。

それが憲法です。国民の手にある憲法という縄によって国家権力に対して「〜してはいけない」という命令や、逆に「〜しなさい」という指令を出してコントロールするのです。

　国家権力という巨大な"怪獣"との闘いは壮絶をきわめました。遥かなる人類世界史のなかで、各国の国民が現在の憲法を獲得するまでには、じつに無限の、人間の生命が犠牲となりました。量ることのできない人間の血が流されたのです。日本国憲法の精神と内容については、これから各章で述べられていきますが、ここでは、日本国憲法 97 条が「この憲法が日本国民に保障する基本的人権は、人類の多年にわたる自由獲得の努力の成果であつて、これらの権利は、過去幾多の試練に堪へ、現在及び将来の国民に対し、侵すことのできない永久の権利として信託されたものである。」と謳(うた)っている言葉一言ひとことの、その歴史的な意味と重さをしっかりと心に刻みたいと思います。97 条は国家権力に縛りをかけ続けてきたその永い闘いの日々と努力の成果と、闘いは将来にわたってもさらに続いていくものであることを明らかにし、なおも誇って光を放ち、輝いています。

2．憲法ならば何でもいい、というわけにはいかない
　　—立憲的意味の憲法（立憲主義的憲法）がだいじです

　この問題を考えるにあたり、日本国憲法の誕生に関わって、その世界史的な源流でもあるフランス人権宣言（1789 年）を紹介しておきましょう。じつに明快です。フランス人権宣言 16 条は「権利の保障が確保されず、権力の分立が定められていないすべての社会は、憲法をもつものではない。」と規定しています。ただ憲法典（憲法という形で書かれた文言、条文）が存在しているだけではダメなのです。人権保障の定めがあること、権力分立（三権分立）の定めがあること、この2つがそろっていて初めて、憲法といえるのです。「国民の統治の仕方だけ、国の政治のしくみだけ」ならば、絶大な力をもつ権力者は上手にそれを利用して、国民を支配し服従させることができてしまいます。国家権力の巨大な"怪獣"が目を覚まし暴れだすという、暴虐の政治を可能にさせてしまいます。そうさせないために、「国民の権利や自由を守る」規定が欠かせないのです。国民の権利や自由を守るために、国民の選挙で選ばれた代表者による統治や政治のしくみが必要、という考え方が重要なのです。この考え方を実際に取りこんでいる憲法のことを「立憲的意味の憲法」あるいは「立憲

主義的憲法」といい、もちろん、日本国憲法も「立憲的意味の憲法」（立憲主義的憲法）です。こうした憲法観に基づき政治が実際に行われていくことを立憲政治といいます。

3．明治憲法はどうだったのか
―残念ながら立憲的意味の憲法ではありませんでした

明治憲法、正確には大日本帝国憲法といいます。1889（明治22）年2月11日に発布され、翌1890年11月29日に施行されました。ちなみに2月11日は祝日で休日ですが何の日だかご存じですか。じつは「建国記念日」なのです。大日本帝国憲法が発布された日です。日本国が帝国として憲法をもち、列強諸国と並び近代国家の仲間入りをしたことを祝うものですが、大日本帝国憲法はその後に展開される、覇権をめざす軍事的海外膨張（侵略）政策のきっかけともなったものです。

明治憲法は、天皇を「神聖にして侵すべからず」（神聖不可侵）の存在とし、統治権の総攬者（すべての決定権を一手に握り統治する者）――まさに絶大な力をもつ権力者――としてその中心に位置づけました。国民は…、いいえ「臣民」（天皇に従属させられる家来）だったのです。その臣民の権利は認められていましたが、それは天皇からの恩恵的性格としてのものであり、「法律の範囲内において」しか保障されないものでした。ですから、ときの政府が法律をつくり臣民の権利や自由を制限し停止したら、権利や自由もそこで終わったのです。何と脆い権利や自由の保障のあり方でしょうか。

明治憲法は、天皇主権の「国民の統治の仕方だけ、国の政治のしくみだけ」の規定が突出して、国民主権や「国民の権利や自由を守る」重厚な規定を欠いていました。その意味で、明治憲法は立憲的意味の憲法（立憲主義的憲法）ではありませんでした。このような憲法は立憲的意味の憲法とはっきりと分けられており、外見的立憲主義的憲法（見せかけだけの憲法）と呼ばれています。

4．「法の支配」と法治主義はちがう
―権力者の意思ではなく、あらかじめ定められた「法」が必要です

憲法をはじめとする法律は、ただ難解語句の文言や条文が整序され綴られて存在しているだけでいいのでしょうか。それを「ありがたや」として受け取るだけでいいのでしょうか。ダメですね。ここで「法の支配」と法治主義につい

て述べてみましょう。2つを並べると一見似ているような表現ですが、全然ちがいます。その前に関連する、「人の支配」から入っていきましょう。

(1) 人の支配から法の支配へ

　「人の支配」は、絶大な力をもった権力者や政治家が自分の一存で何でも好き勝手にでき、自分以外の者を自由に支配し服従させながら、国家の重大な決定が行われるような統治のしくみ、のことです。こうした「人の支配」による統治は専制であり、国民にとっては"恐怖政治"となることを意味します。何も悪いことをしていない者に無理やり理由をつけ、権力者の思いのままに、その生命を奪うことも可能です。圧政や恐怖政治に怯え、息をころして生きていかなくてはならないのです。このようなことが許されてよいわけはありません。ここに「法の支配」(Rule of law) が必要とされたのです。「人の支配」から「法の支配」へ、人権獲得の歴史はその歩みを進めてきました。

　「法の支配」は、絶大な力をもつ権力者、その国家権力、統治のすべて、あらゆる国家機関を「法」に従わせるということです。つまり「法」が優位であり、国家権力それ自体が「法」に拘束される、ということです。「法」——それは立憲的意味の憲法を基軸とする法令（法律や命令）、国民の権利や自由に関する規則やきまりの一切です。そして、法の支配には次の2点が備わっていなければならない、とされています。一つは「法そのものの内容の正しさ」（内容的正当性）、もう一つが「法が適用される際の手続の正しさ」（手続的正当性、適正手続ともいいます）です。

(2) 法治主義

　例えば、自転車を駅周辺にちょっと2、3分停めたとしましょう。そこが「自転車等放置禁止区域」に指定されているならば違法行為なので、すぐに移動させなければなりません。しかしこの場合に、もしも法的根拠となる「自転車の安全利用の促進及び自転車等の駐車対策の総合的推進に関する法律」やその地方自治体が定めた「自転車等放置防止条例」が自転車放置に対して懲役刑という刑罰を定めているとしたら、どうでしょう。この法に厳格に従い刑に服しますか…。多分きっと、この刑罰はあまりに重すぎるとして異議を申し立てることでしょう。あるいは裁判を起こすかもしれません。また自転車を放置した瞬間に警察につかまり、何の手続もなしに裁判官から刑罰を言い渡され、即、実

刑が科せられるとしたら、どうですか。従いますか…。両方とも、あまりにむちゃくちゃですね。ですから「法そのものの内容の正しさ」と「法が適用される際の手続の正しさ」が欠かせないのです。後の章においても随所で触れられますが、「法の支配」を体現化している日本国憲法の条文として、11条、12条、31条、81条、97条、98条、99条、を上げることができます。

　法治主義はRule by lawといいます。放置自転車に懲役刑という刑罰を科する法律が存在し、一応法的な手続も整えられ、それらに則って刑が執行されるとしたら…これが典型的な法治主義です。統治や実際の執行は法に基づかなければならない、ということには同意するのですが、とにかく、何でも法としての形があればよく、内容の正しさや手続的正しさは問わない、とする考え方です。「法さえあれば、何でもできる！」ということで、こうした法治主義は独裁政治や恐怖政治に他なりません。「悪法もまた、法であるのか」という法哲学上の根本問題がありますが、国民主権の民主主義においても、多数決で決したのだから、として「悪法」と呼ばれる法令がつくられる危険性が絶えずあります。だからこそ、日本国憲法の精神や内容を学び、つくられる法律の中身やその運用のされ方を常に監視し、点検し、批判していく国民の「不断の努力」が欠かせないのです。

5．憲法は社会的権力や私的権力に対しても効力を及ぼす
　　―人権の私人間効力という問題です

（1）　国家以外の権力

　「憲法とは、国民が国家権力を縛り、国家に国民の権利や自由を守らせるもの」、このことの意味や重要性は、以上に述べてきたとおりです。

　それでは憲法は、国家権力以外の権力に対しては、どのように臨もうとしているのでしょうか。権利や自由を傷つけ侵害する存在は、国家権力の他にもあります。他者（個人・複数）、集団、組織などは、時として、社会的権力や私的権力となって個人を脅かし圧迫してきます。具体的には、例えば、いじめ、虐待（子ども虐待、高齢者虐待、障がい者虐待）、親密な関係の中で生じる暴力（ドメスティック・バイオレンス：Domestic violence）、すなわち恋人からの暴力、配偶者からの暴力です（近時、妻から夫に対する暴力問題も表面化してきており、逆DVともいわれ、男性が被害者となるケースの深刻化が指摘されています）。パワー・ハラスメント（Power harassment：職場などにおいて

行われる上司から部下に対する嫌がらせや暴力)、不当解雇などを上げることができるでしょう。こうした社会的権力や私的権力によって個人の権利や自由が侵されたとき、場合によってはその結果、尊い生命が奪われてしまうこともあるのです。

(2) 人権の私人間効力

　後の章でも詳しく述べられますが、憲法13条は「すべて国民は、個人として尊重される。生命、自由及び幸福追求に対する国民の権利については、公共の福祉に反しない限り、立法その他の国政の上で、最大の尊重を必要とする。」と謳っています。個人としての尊重、生命権、自由権、幸福追求権は、公共の福祉に反しない限り、国政(国の政治)というレベルにおいても最大に尊重されなければならないほどの重さをもっています。ですから、その価値や重さは、職業生活、家庭生活、学校生活、その他市民生活すべての社会のなかにおいても基本として貫かれていく必要があります。憲法14条1項は「すべて国民は、法の下に平等であつて、人種、信条、性別、社会的身分又は門地により、政治的、経済的又は社会的関係において、差別されない。」と規定します。信条とは、それが正しいと信じ実行していることです。性別には男女のみの性別ではなく、多様な性の違いも含まれます。社会的身分は社会的地位、職種、職階のことで、門地は家柄や家系を意味します。注目したいのは「社会的関係において、差別されない」としているところです。差別、支配と服従の不平等な関係は国家権力と国民との間にだけ生じるものではありません。社会的関係、すなわち個人と個人との間、集団と個人との間、組織と個人との間で発生し継続され、深刻化することもあります。

　国家権力を縛るための憲法——その人権規定をそのまま直接に社会的権力や私的権力に対して適用できるか、という憲法上の問題がありますが、「間接適用説」が通説です。間接適用説とは、社会的権力や私的権力が個人の権利や自由を侵害するのであれば、憲法が直接に出張っていくのではなく、まず憲法体系のなかにある民法(民法と関連する諸法律)にそれを不法行為として禁止させ、もし犯罪性があるならば、まず憲法体系のなかにある刑法(刑法と関連する諸法律)に刑罰規定をもって対応させよう、とする考え方です。憲法という光を、憲法の下にある具体的な諸法律という鏡に反射させ、社会的権力や私的権力に焦点化させ、権利や自由へのその侵害性を取り除く——これが「人権の

私人間効力」の、間接適用説のイメージでしょうか。憲法は間接的ではありますが、社会的権力や私的権力に対し確かに効力を及ぼしていくのです。

参考図書
・金子勝／木村康子『憲法？』本の泉社、2006
・三修社編集部編『ぶんこ六法トラの巻　憲法（新版）』三修社、2008
・伊藤真『伊藤真の日本一わかりやすい憲法入門』中経出版、2009
・奥平康弘／木村草太『未完の憲法』潮出版社、2014

第2章　日本国憲法はこうして生まれた

―誰が提案したのかではなく、
誰が審議をしてつくったのかがだいじです―

　みなさんは社会が大きく動くきっかけは何か、考えたことはありますか。その一つに歴史的大惨事があります。2011年3月11日の東日本大震災は原子力発電のあり方に大きな転換を迫るものとなりました。第二次世界大戦では軍人や、民間人などの非戦闘要員もふくめ、日本で約310万人、アジアで約2000万人近い尊い命が失われました。じつはこの日本国憲法も、その多くの犠牲者や社会が負った深い傷の上に、誕生したものなのです。
　この章では、日本国憲法の誕生の経過とその意義について考えてみたいと思います。

1．日本国憲法の制定過程

(1)　敗戦・占領と憲法改正

　1945年8月14日、日本はポツダム宣言を受諾、連合国に対し無条件降伏をして、第二次世界大戦は終わりました。日本は連合国軍の占領下におかれ、財閥解体や農地改革などの民主化政策、明治憲法の改正がすすめられることになりました（**図表2-1**参照）。このポツダム宣言は、日本の降伏の条件を定めたもので、同年7月26日に米・英・中国によって発表され、日本側に迅速な受け入れが要求されました。しかし政府は、20日間これを受諾しませんでした。その大きな理由は、国体護持にこだわっていたためです。この「国体」とは国民体育大会の略称ではなく、「天皇に主権が存し、統治権を総攬（そうらん）する国家体制」をいいます。そして20日間のこの遅れが、広島への原爆投下（8月6日）、ソ連の参戦（8月8日）、長崎への原爆投下（8月9日）をまねき、さらに多くの尊い人命が失われることになりました。
　1945年10月に発足した幣原内閣が、連合国軍最高司令官総司令部（以下「総司令部」）を訪問した時に、明治憲法を民主化する必要があるとの指摘を受け、国務大臣松本烝治が長を務める憲法調査会（松本委員会）が発足しました。こ

第2章 日本国憲法はこうして生まれた

図表2－1　日本国憲法の制定過程

1945年8月14日	ポツダム宣言受諾
8月15日	終戦
10月25日	松本委員会の調査
1946年2月1日	毎日新聞によるスクープ
2月8日	日本政府案提示（スクープされたものと内容的に同じ）
2月13日	マッカーサー草案の提示
2月26日	極東委員会
3月6日	憲法改正草案要綱を国民に公表
4月10日	男女平等の普通選挙による衆議院の総選挙
4月17日	憲法改正草案の公表
6月20日	衆議院に提出
6月25日	衆議院の審議開始
8月24日	若干の修正の上で可決
8月26日	貴族院の審議開始
10月6日	若干の修正の上で可決
10月7日	衆議院が貴族院の修正に同意
11月3日	公布
1947年5月3日	施行

　の松本委員会では、①天皇が統治権を総攬する基本原則は変えない、②議会の議決を要する事項の範囲を拡大し、天皇の大権事項をある程度削減する、③国務大臣の責任を国務全般にわたるものにして国務大臣は議会に責任を負うものとする、④国民の権利・自由の保障を拡大し、その侵害に対する救済方法を完全なものにする、という4つの原則に基づいて改正作業をすすめました。3ヵ月の審議を経て憲法改正要綱（松本案）が作成され、1946年2月8日、総司令部に提出されました。しかし、天皇主権、国民の権利制限など明治憲法とほとんど変化がなく、根本的改正にはほど遠いものでした。

　松本委員会による憲法改正の調査活動が進展する中、国民の間でも政党や知識人のグループを中心にさまざまな憲法改正案が発表されました。松本案をはじめ日本自由党案や日本進歩党案など保守諸政党が天皇主権や国体護持を共通認識としている中、日本共産党案や、憲法学者の鈴木安蔵氏、統計学者の高野岩三郎氏らが中心の憲法研究会の憲法草案は際立った特徴を示していました。

日本共産党案は天皇制廃止・人民主権の原則を採用、憲法研究会の憲法草案は天皇制を象徴的な意味で残すものの国民主権原則を明確にし、「国民発案及び国民表決」などの直接民主的な制度の採用や社会権的な諸権利について詳細に規定するものでした。また高野氏は私案として、天皇制を廃止し大統領を元首とする共和制憲法を構想した改正要綱を示していました。

（2）　日本国憲法の制定

　当初、総司令部は憲法改正問題についてはできるだけ日本政府の自主性にゆだねるという態度をとり、日本政府の改正案の提出を待ちました。

　1946年2月1日、そこへ突然、正式な発表前に松本案が毎日新聞にスクープされ、その概要を知ることになった総司令部は、明治憲法に修正を加えた程度の保守的な内容に失望し、草案作成を日本に任せることを断念、総司令部の側で独自の憲法草案を作成することにしました。マッカーサーは総司令部が草案を作成するにあたって、3つの原則（マッカーサー三原則）を作成し、総司令部起草責任者に手渡しています。それは次のようなものでした。①天皇は国の元首の地位で、皇位の継承は世襲である。天皇の職務および権能は、憲法に基づき行使され、憲法の定めるところにより、国民の基本的意思に対して責任を負う。②国家の主権的権利としての戦争を廃棄する。日本は、紛争解決のための手段としての戦争、および自己の安全を保持するための手段としての戦争をも放棄する。日本はその防衛と保護を、いまや世界を動かしつつある崇高な理想にゆだねる。日本が陸海空軍をもつ権能は将来も与えられることはなく、交戦権が日本に与えられることもない。③日本の封建制度は廃止される。華族の権利は、皇族を除き、現在生存する者一代以上には及ばない。華族の地位は、今後どのような国民的または公民的な政治権力を伴うものではない。予算の型は、イギリスの制度にならうこと。

　総司令部は、このマッカーサー三原則に基づく総司令部案を2月13日に日本政府に示し、この案を最大限考慮し、日本側に新たな草案を作成するように求めました。日本政府は総司令部案を日本語に翻訳するかたちで日本側の草案（3月2日案）を作成、総司令部との折衝の上、3月6日に日本政府の憲法改正草案要綱（3月6日案）として国民に公表しました。4月17日には憲法改正草案要綱を口語に文章化し、憲法改正草案が作成され、正式な大日本帝国憲法改正案となりました。

4月10日、女性に初めて選挙権が認められた普通選挙制による総選挙が行われ、5月22日に第一次吉田内閣が成立しました。新しく構成された第90回帝国議会の衆議院で原案に若干の修正が加えられ、圧倒的多数の賛成をもって貴族院に送付されました。そして貴族院でも若干の修正が行われ、圧倒的多数で可決されました。衆議院でその修正に同意がされ、帝国議会での審議が完了、改正案は枢密院の審議をへて、11月3日に日本国憲法として公布され、翌年の1947年5月3日から施行されました。

　総司令部がマッカーサー草案の起草を急いだ理由として、1945年12月にモスクワで開催された米・英・ソ三国外相会議で設置の決まった極東委員会が1946年2月26日に開かれることになり、その極東委員会で日本の憲法問題が取り上げられる前に、新憲法草案ありとの既成事実をつくっておきたかったことが指摘されています。ソ連やオーストラリアに代表される天皇制廃止の国際世論が強かったこと、憲法改正に関するマッカーサーの権限が制限されることも懸念されていました。

2．日本国憲法は「押しつけ憲法」か

（1）　ポツダム宣言

　日本国憲法の制定の経過を見てくると、敗戦後の占領下という特殊な状況のなかで総司令部が主導してつくられてきたことがわかります。そうなると、日本国憲法は国民の自由な意思がはたらいてつくられたものなのか、憲法の制定に他国の介入があり、内政不干渉の原則、憲法の自主性や自律性の原則への違反があり、久しくいわれている「押しつけ憲法」ではないのかという問題につきあたります。

　まず日本が受諾したポツダム宣言は、連合国と日本の双方を拘束する一種の休戦条約です。この休戦条約には、国民主権の採用、基本的人権の尊重など明治憲法改正の要求を含むと解されていました。したがって、連合国側は日本側の憲法改正案がポツダム宣言に合致しないと判断した場合、遵守することを日本側に求める権利をもっており、一定の限度で憲法の制定に関与する行為は、内政不干渉の原則や憲法の自律性の原則に反するものではないとされます。

　またポツダム宣言には、日本国民の自由な意思による平和的で民主的な政治形態の樹立、あるいは基本的人権の尊重の原理が定められていました。それは

近代憲法の一般原理であり、こうした考えに基づいて憲法を制定することは国家の近代化のためには必要不可欠です。しかし終戦直後の日本政府は、ポツダム宣言の歴史的意義を十分理解できず、自らの手で近代憲法をつくる力はありませんでした。

(2) 憲法草案

　総司令部民政局として日本国憲法の草案作業に携わった一人に当時22歳のベアテ・シロタ・ゴードンさんがいます。彼女は5歳の時に来日し、15歳まで約10年間東京で過ごし、子どもが生まれないという理由で離婚される女性がいること、自宅で働いていた家政婦から日本人女性の地位が低く置かれている記憶を原体験としてもっていました。ゴードンさんは日本人女性に幸せになってほしいとの願いをこめ、非嫡出子の平等や権利保護などの先進的な内容を盛りこんだ草案を作成しました。上司のケーディス大佐に案文を却下されたこともありました。また24条（両性の平等）に関しての30時間に及ぶ案文折衝の中で、日本政府から「日本にはなじまない」と抵抗されましたが、今も憲法の条文として生き続けています。基本的人権の尊重を軽視していた当時の権力者たちに、新しい憲法のなかに男女平等を生み出す発想や能力があったかどうか、はなはだ疑問です。

　その一方、当時公表された在野の知識人による憲法草案や世論調査から判断すると、当時の日本国内では、国民は日本国憲法の価値に近い憲法意識をもっていたといえます。政府も帝国議会における審議の段階では、マッカーサー草案の基本的な部分を支持していました。当時、草案起案者のケーディス大佐は、日本の民間グループの一つだった憲法研究会の憲法草案を好意的に評価していたと証言しています。日本国憲法の国民の権利条項と憲法研究会の草案がよく似ていることから、総司令部は憲法研究会の憲法草案を参考にしたのではないかとの見方もされています（鈴木安蔵氏は憲法研究会の憲法草案自身、明治10年代の自由民権運動の中で起草された憲法草案を参考にしたとも語っています）。すなわち、鈴木安蔵氏らは憲法改正草案の間接的起草者であったともいえ、その流れの起源は明治時代に遡ります。

　普通選挙による大日本帝国憲法改正案を審議するための帝国議会が開かれ、その改正案はさらに吟味されます。改正案にはなかった国および公共団体の賠償責任（17条）や社会保障の重要な権利である生存権（25条）、無罪の裁判を

受けた時に国にその補償を求める刑事補償請求権（40条）、国会を衆議院と参議院とする二院制（42条）の規定は、当時の帝国議会の審議の中で日本側の意見として追加されたものです。また、この改正案に反対する答弁も国会で行われています。こうしてみると日本国憲法の制定は完全ではありませんが、自律性の原則には反していないと考えられます。大切なことは誰が提案したのかではなく、誰が審議をしてつくったのかということです。

再び天皇の権限を強化し、国民主権を縮小したり、基本的人権を制限したり、また戦争放棄をやめ、軍隊を持てる憲法をつくりたい人たちからすれば、今でも「押しつけ憲法」と映るのでしょう。

3．日本国憲法の民定性

日本国憲法は明治憲法73条の改正というかたちで公布されています。日本国憲法は国民主権原理に基づく民定憲法であり、一方明治憲法は天皇主権の欽定憲法です。はたして明治憲法から日本国憲法に改正することは法的に許されるのか。詳細は本書第14章の「憲法保障と憲法改正」(123ページ～129ページ)でも触れていますが、憲法改正には一定の限界があり、その基本原理を改正することはできないと考えられています。

このような理論上の矛盾を説明する学説に、宮沢俊義氏の「8月革命説」があります。この学説では以下のように説明します。

①明治憲法73条の改正規定により、明治憲法の基本原理である天皇主権を国民主権に改めることは、法的には不可能であること、②国民主権原理の採用を要求しているポツダム宣言の受諾により、明治憲法の天皇主権は否定されて国民主権が成立し、新しい日本の政治体制の根本原理となったとみなし、そこには一種の革命があったととらえること、③この革命で明治憲法それ自体は廃止されたわけではないが、重要な変革をこうむった結果、議会の修正権にも制限がなくなり、国体の変革も許されるようになったと認めること、④したがって、日本国憲法は実質的には明治憲法の改正としてではなく、新たに成立した国民主権原理に基づいて国民が制定した民定憲法と考えられること。

以上のようにとらえると、日本国憲法は国民自身が自らの憲法制定権力に基づいて制定したとするのが妥当でしょう。

参考図書

・芦部信喜『憲法［新版　補訂版］』岩波書店、1999
・杉原泰雄編著『資料で読む日本国憲法（上）・（下）』（同時代ライブラリー）、岩波書店、1994
・古関彰一『日本国憲法の誕生　増補改訂版』（岩波現代文庫）、岩波書店、2017

第3章　日本国憲法の基本原理

―国民主権、基本的人権の尊重、平和主義が
日本国憲法の三大原理です―

　日本国憲法の誕生については、前章で詳しく述べられました。ここでは、日本国憲法の3つの、大きな核となる、基本的な考え方についてみていくことにしましょう。日本国憲法の三大原理といわれるものです。「国民主権」「基本的人権の尊重」「平和主義」の3つです。

1．国民主権
　―国民が政治の主人公です！

（1）　人民の、人民による、人民のための政治

　国民主権とは「国民が、国の政治のあり方を最終的に決定する力をもっている」ということです。日本国憲法の前文にもはっきりと謳われています。その部分は、「…ここに主権が国民に存することを宣言し、この憲法を確定する。そもそも国政は、国民の厳粛な信託によるものであつて、その権威は国民に由来し、その権力は国民の代表者がこれを行使し、その福利は国民がこれを享受する。これは人類普遍の原理であり、この憲法は、かかる原理に基くものである。われらは、これに反する一切の憲法、法令及び詔勅を排除する。」というところです。国民主権を理解する上でだいじな言葉が出てきているので、語注しておきましょう。厳粛とは厳しく真剣な様子、信託とは相手を信用して自分の大切なものを託すこと、福利とは幸福と利益、享受とはそのものを受け取り豊かになること、普遍とはすべてに共通し例外なく広く行きわたること、詔勅とは天皇の言葉を書いた文書（詔書）や意思を示した公文書（勅書）のこと、です。

　つまり国民が、厳しく真剣に考え、選挙という方法を通して、自分の政治への想いや願いを国民の代表者を信用してこれに託す、ということです。そして信用され託された想いや願いを実現させるために、国民の代表者が権力を行使して国民のために働き、国民がその政治の結果としての幸福や利益を受け取って豊かになっていく、ということです。これが国民主権の本質です。国民主権

という考え方は人類すべてに共通し例外なく広く行きわたる原理であり、言葉を重ねるまでもなく、日本国憲法もこの国民主権の原理を取りこんでいます。だからこそ、国民主権を認めない憲法、法令、詔勅などがあれば、このすべて一切を排除する、と宣言するのです。

　アメリカ合衆国大統領であったリンカーンの「…人民の、人民による、人民のための政治を地上から絶滅させないため」というゲティスバーグ演説（1863年）の一節はあまりにも有名です。英文では、「...government of the people, by the people, for the people, shall not perish from the earth.」となります。この明確な精神と表現は、その時代を超えて、じつは日本国憲法にも生かされています。「国政は（government）、国民の厳粛な信託によるものであつて、その権威は国民に由来し（of the people）、その権力は国民の代表者がこれを行使し（by the people）、その福利は国民がこれを享受する（for the people）。」のです。

（2）　主権者になっていくこと
　国民主権に関しては、前文の他に15条や43条もだいじです。15条1項は「公務員を選定し、及びこれを罷免することは、国民固有の権利である。」と規定します。もちろん公務員には国会議員（衆議院議員、参議院議員）が含まれ、国民を代表して権力を担当し行使する者としてふさわしくない場合には、「罷免」（公職をやめさせること）できます。その方法が18歳以上の有権者による普通選挙です。すべての国会議員は全国民の代表としてこの選挙により選出された者でなければなりません（43条1項）。そして、この選挙により選出された国会議員をはじめとするすべての公務員は、全体の奉仕者として国民の福利のために働かなければならないのです（15条2項）。一部の誰かに奉仕するとか、汚職とか、税金を無駄に使うなどは許されません。

　かつて、フランスの哲学者であり思想家のルソー（1712～1778年）は「選挙のときだけ、選挙民は主人になるが後は奴隷だ」と述べました。選挙が終われば国民主権を忘れてしまう、などはあってはなりません。国会の動向、議員の言動を絶えず注視、監視し続けて、「政治家こそが政治の主人公」というような事態を生じさせないように、国民の厳粛な信託に背くような「少数権力による勝手な支配」を見逃さないようにしなければなりません。

　国民が国の政治のあり方を最終的に決定する力をもっているのです。日本国

憲法の精神や内容への理解度を深めていく中で、かたちだけの「主権者であること」から脱し、本当の意味で「主権者になっていくこと」が、日本国憲法の原理そのものから求められています。

２．基本的人権の尊重
　　―すべての人間が、人間として基本の、当然にもっている固有の権利です

　人間のいのちとしてこの世に生を受けたからには、誰もが「人間らしく、自分らしく生きていきたい」と願うことでしょう。こうした願いや想いは、絶大な力をもつ権力者に守ってもらって初めて実現するものなのでしょうか。まず最初に国家という体制や法という秩序がおごそかに存在し、その枠の中で許可されたり承認される性質のものなのでしょうか。そうではありません。国家や法のない状態（自然状態）においても、すでに人間誰もがもっている、一個の人間としてあたりまえの欲求です。この一個の人間の、あたりまえの欲求を「自然権」といいます。自然権は、憲法を含め人間の手によって意識的につくられる法（実定法）を超えたところにある自然法から導き出される、と理解されています。自然法とは、自然界のすべての事物を支配する理(ことわり)や絶対的な法則であるとされ、人間の精神の奥深くには理性が存在し、その人間理性は、人間の性質は生まれながらに善であり、正義の真理と結びついている、とするものです。

　自然法に基づく自然権は、いかなる国家権力や社会的権力、あるいは他者の力によっても決して奪うことはできません。譲り渡すこともできません。すべての人間に及んですべての人間が当然に有する、人間一人ひとりにとって固有のものです。この自然権を、立憲的意味の憲法（立憲主義的憲法）はしっかりとその中に取りこみました。これが「基本的人権」（Fundamental human rights）です。縮めて、人権というのです。

　基本的人権の性格は「固有性」（人間一人ひとりにとって固有のもの）、「不可侵性」（決して奪ったり譲り渡したりすることができないもの）、「普遍性」（すべての人間に及んですべての人間が当然に有するもの）です。憲法11条は「国民は、すべての基本的人権の享有を妨げられない。この憲法が国民に保障する基本的人権は、侵すことのできない永久の権利として、現在及び将来の国民に与へられる。」と規定します。この基本的人権の価値と重さをしっかりと受けとめていきましょう。基本的人権の享有は、過去から現在、そして将来の国民へと信託され継受されていくものです。「今を生きている自分たちさえよけれ

ば…」と私たち現在の国民の世代だけで"満足"し、受け渡していくことへの「不断の努力」を怠ってしまったならば——地球環境破壊、放射能汚染、戦争の惨禍はその最たるものです——それは許されない行為といえるでしょう。

3．平和主義
―「平和のうちに生存する権利」は重要で具体的な基本的人権のひとつです

　「人間らしく、自分らしく生きていくこと」は、戦争に巻きこまれることのない権利、つまり「平和のうちに生存する権利」がその土台（基礎）にしっかりと座置されていなければ、"砂上の楼閣"となってしまいます。軍事活動や戦争によって、すべての人権の土台（基礎）が根こそぎ削り取られてしまう危険性があります。国家や政府の強権的な政治によって戦争が引き起こされてはならないこと、誰も戦争に動員されてはならないこと、徴兵されてはならないこと、戦争をする国家のため生命を捨てさせられる（生命を犠牲にさせられる）ことがあってはならないこと——こうした決意は、国家権力によって左右される性質のものではありません。戦争に怯えることなく、安心して人間らしく自分らしく生きていくことは、人間一人ひとりにとっての基本的人権です。これをとくに「平和的生存権」（平和のうちに生存する権利）とよびます。

　憲法の前文の一節は「…われらは、全世界の国民が、ひとしく恐怖と欠乏から免れ、平和のうちに生存する権利を有することを確認する…」と謳います。憲法9条1項は戦争の放棄を明記し、その具体的な達成方法として「戦力の不保持」と「交戦権の否認」を掲げます（憲法9条2項）。憲法13条は生命権、自由権、幸福追求権を大きく打ち出します。

　戦争そのものが公共の福祉に反するもの、とのとらえ方が重要で、また定着させていく必要があります。人権論的には、平和的生存権は、憲法前文、憲法9条、13条を三位一体のものとして組み立てていくことができます。基本的人権としての平和的生存権は、国家権力が一番欲し、つねにその誘惑に惑わされる軍事行動権（集団的自衛権）や交戦権を縛り、「戦争をしない国家」、平和国家の方向へと手綱を引きしめるものです。この手綱をゆるめてはいけません。まして、「戦争をする国家」へと向かう憲法改正を認めるようなことがあれば…、そのときは、今はない国民の義務としての徴兵制度や、戦争をする国家のため生命を捨てさせられる（生命を犠牲にさせられる）ことの現実化を「覚悟」するときです。

国家の安全にとって重大な緊急事態が生じたとき（有事）に、あるいはそうした事態に対応できるように、平時より軍事、警察、治安などの面での態勢を整え、組織や機関、権限や運用の仕方を定めた法制度を確立することを有事法制といい、こうした一連の国家権力の仕掛け全体が「国家の安全保障」です。端的に、「戦争をする国家」づくり、のことです。国家の安全保障は、平和的生存権をむしばみ、"窒息させる"危険性を有しています。近時、国際社会では「人間の安全保障」（Human security）という考え方、そしてその国境を越えた具体的な活動が広がりをみせています。地球上の人類社会には、災害、自然環境破壊、貧困、飢餓、栄養失調、感染症、人身売買、強制売春、ドラッグ、戦争、紛争、対立、迫害、虐殺など、今、その人間の生命や生存が直接に脅かされ、実際にそれらが失われてしまう非常に厳しい現実が存在しています。そうした脅威や恐怖から生命を守り、生存を確保し、さらに生活の発展の可能性を追求し、それを実現化させていく取り組み——これが人間の安全保障です。国家の間で敵対してにらみあったり、威嚇しあったり、交戦している場合ではありません。地球上の人類社会には人材的にも資源的にも、そんな"余裕"はないはずです。国家の安全保障から人間の安全保障への方向転換を、憲法の平和主義も大いに支持するものです。

4．日本国憲法の構成
――権利の保障が確保され、権力の分立も規定されています

(1)　全体構成

　日本国憲法が立憲的意味の憲法（立憲主義的憲法）に含まれることは、先にも述べました。ちなみに、公布（法令や条例を国民に知らせること）は、1946年11月3日、現在は「文化の日」として祝日です。施行（法令の効力が発生すること）は1947年5月3日、「憲法記念日」としてこの日も祝日です。日本国憲法の公布日と施行日――日本国憲法の誕生――を慶事として国民をあげて祝おうとするものです。

　それでは日本国憲法はどのように構成されているのか、みていくことにしましょう。前文と11章（103の条文）から成り、大きくは、国民の権利や自由を定めた「人権保障に関する章」と、権力分立を含む政治のしくみを定めた「統治機構に関する章」の部分から構成されているといっていいでしょう。下に、構成のだいたいをまとめてみます。「よくできている」と筆者は考えますが、

みなさんはいかがですか。

- 前文　／国民主権、議会制民主主義、人権の尊重、平和主義、国際協調主義を宣言　　　　　　　　　…（人権保障・統治機構）
- 第1章／天皇（1～8条）　　　　　　　　　…（統治機構）
- 第2章／戦争の放棄（9条）　　　　　　　　…（統治機構）
- 第3章／国民の権利及び義務（10～40条）　…（人権保障）
- 第4章／国会（41～64条）　　　　　　　　…（統治機構）
- 第5章／内閣（65～75条）　　　　　　　　…（統治機構）
- 第6章／司法（76～82条）　　　　　　　　…（統治機構）
- 第7章／財政（83～91条）　　　　　　　　…（統治機構）
- 第8章／地方自治（92～95条）　　　　　　…（統治機構）
- 第9章／改正（96条）　　　　　　　　　　…（統治機構）
- 第10章／最高法規（97～99条）　　　　　…（人権保障・統治機構）
- 第11章／補則（100～103条）　　　　　　…（統治機構）

　憲法前文は、憲法の由来（物ごとの生起・生成にいたるまでの道すじ）、目的、憲法全体を貫く基本原理を明らかにします。具体的な規範を定めたものではなく、憲法前文自体には裁判上の効力はないと考えられています。しかし、憲法本文の各条項を理解する際の重要な指針であり、だいじな部分です。国民主権、議会制民主主義、人権の尊重、平和主義、国際協調主義が宣言されています。

（2）　天皇
　第1章は、天皇についてです。天皇の地位は「主権の存する日本国民の総意に基く」のです（1条）。国政に関する権能（権限や法的な能力）は認められていません（3条）。すべて内閣の助言と承認を必要とし、その国事行為のみしか行うことができません（4条1項）。第1章は1945年8月15日（終戦記念日ですが、本当の意味は、大日本帝国憲法の国家体制が崩壊した日です）以前の天皇大権中心主義を完全に否定しました。戦前のじつに厳しい反省の上に立ち、天皇という絶対的な権力者の存在とその権限を徹底的に除去したのです。天皇には日本国の象徴，日本国民統合の象徴の地位しか与えません。「天皇」という国家権力を無力化させ、さらに縛りをかけるという点で、第1章は、統

治機構に関する章といっていいでしょう。

(3) 戦争の放棄

　第2章は、戦争の放棄についてです。わずか1つの条文（9条1項、2項）しかありません。それで独立した1つの章を成り立たせているのです。わずか1つの条文が1つの章を仕切る、つまり、憲法全体の構成の中でそれだけ重要な地位を占めるということなのです。理念としても、具体的な規範としても、憲法9条1項は戦争の放棄を明記し、具体的な達成の方法として「戦力の不保持」と「交戦権の否認」を掲げています（憲法9条2項）。憲法9条は平和主義の要（かなめ）であり、日本国憲法の三大原理の1つを確実に形づくり、憲法前文と憲法13条を引きよせ、結びつけて、基本的人権としての「平和的生存権」（平和のうちに生存する権利）を具体的な権利として定立させる、その中核的な役割を果たしているのです。国家に戦争を発動させることそれ自体を認めず、戦争遂行の具体的な手段として戦力を持つことも認めません。第2章の憲法9条は「国家権力の非軍事化」へ向けて、国家権力に縛りをかけるはたらきをしており、やはり統治機構に関する章といっていいものでしょう。

　大日本帝国憲法の下での「天皇大権中心主義の戦争国家」――大日本帝国の軍国主義――が筆舌に尽くし難い惨禍を引き起こしてしまいました。だからこそ憲法前文は、「日本国民は、…政府の行為によって再び戦争の惨禍が起ることのないやうにすることを決意し、ここに主権が国民に存することを宣言し、この憲法を確定する。」と反省するのです。戦争を起こし惨禍を招いてしまったのは誰か…大権を有していた天皇および天皇を輔弼（ほひつ）（君主の政治を助けること）した政府だったのです。したがって、天皇大権中心主義の完全否定、戦争国家の完全否定、この2つを日本国憲法が出発点としたのは当然のことです。日本国憲法はその章の構成においても最初の1・2章でこの態度を鮮明にしています。第1章と第2章の意味や内容は両章一体として理解される必要があります。日本国憲法は、天皇大権中心主義の戦争国家――大日本帝国の軍国主義――を徹底して崩しました。そして、新たに「国民主権の平和国家」像を大きく描き出したのです。

(4) 国民の権利及び義務

　第3章は、国民の権利及び義務についてです。国民の義務（教育を受けさせ

る義務（26条2項）、勤労の義務（27条1項）、納税の義務（30条））に関しては、次章で取り上げましょう。

　国民の義務規定を除いて、30もの条文が、具体的な国民の権利や自由を保障しています。章の中の条文数（もちろん中身も）は、第3章が一番多いのです。それだけに重厚で中心となる重要な部分です。もはや、天皇の家来としての「臣民の権利」ではありません。国民主権の、国民の権利です。第3章は、生命権、自由権、幸福追求権を規定する憲法13条を基礎にして、平等権、自由権、社会権、参政権、請求権など豊かな人権保障に関する規定で占められています。第3章は人権保障に関する章です。

(5)　権力分立

　第4章の国会、第5章の内閣、第6章の司法は、権力の分立、「三権分立」を明確にしている部分です。法律を制定する国家権力すなわち立法権を国会に、法律に基づいて施策・政策を執行する国家権力すなわち行政権を内閣に、法規を適用して争訟（争いや訴え）の解決を行う国家権力すなわち司法権を裁判所に、というように絶大な国家権力を3つに分け、それぞれに担当させるようにしたのです（41条、65条、76条1項）。

　また、三権（立法権、行政権、司法権）の相互間においても権力を縛りあうしくみが用意されました。「抑制と均衡」（Checks and balances）といわれています。その主なものを取り上げてみましょう。国会から内閣へは内閣総理大臣の指名（6条1項、67条1項）、内閣の不信任決議（69条）が行われ、国会から司法へは弾劾裁判所の設置（64条）がなされます。弾劾裁判所とは、不正行為などがあり罷免の訴追を受けた裁判官を裁判する制度で、国会の両議院議員で組織される裁判所のことです。内閣から国会へは衆議院の解散（69条）が行われ、内閣から司法へは最高裁判所長官の指名（6条2項）、他の裁判官の任命（79条1項、80条1項）がなされます。司法から国会へは法律の違憲審査権が行使（81条）され、司法から内閣へは行政の命令・規則・処分の違憲審査権が行使（81条）されるのです。

　そして「三権」の真ん中、中心には「国民主権」（主権の存する日本国民）が不動のものとして、国家権力の源泉として位置づけられています。三権は国民主権の監視下・統制下に置かれます。もちろん、国民主権は国民の政治参加のかたちをとります。国会議員は直接選挙によって選出されます。内閣へは請

願や世論をぶつけ行政権の横暴を阻止します。司法へは国民審査（最高裁判所裁判官の審査）や裁判員制度を通して関わります（**図表8－1　三権の抑制と均衡**、82ページ参照）。

　あらためて、国家権力の濫用（みだりに使うこと）を防ぎ、国民の権利と自由を守ることが権力分立（三権分立）の目的であること、またそのことが「憲法そのものであること」(立憲的意味の憲法)を確認しておきましょう。第4章、第5章、第6章は通して大きく一つにつながっており、権力分立の統治機構に関する章となっています。

（6）　財政①　〜財政民主主義

　第7章は財政です。財政とは国や地方自治体の公共部門が営む経済活動です。国が最初から「お金」をもっているわけではありません、財政は、国民の納める租税（税金）があって初めて成り立つものです。ですから、「国の財政を処理する権限は、国会の議決に基いて、これを行使しなければならない。」とするのです（83条）。国民の直接選挙によって選出された国会議員、その国会が財政をコントロールする基本原則を「財政民主主義」といいます。86条が「内閣は、毎会計年度の予算を作成し、国会に提出して、その審議を受け議決を経なければならない。」としているのも、財政民主主義の一環と理解できるでしょう。徴税は国民生活に直結する重大な問題です。ですから、「あらたに租税を課し、又は現行の租税を変更するには、法律又は法律の定める条件によることを必要とする。」（84条）とするのです。これを「租税法律主義」といいます。決算もだいじです。収入は実際にいくらあり、何に、どのような領域に、いくら使われたのか、国には収入支出の決算報告が求められます。決算報告に先立ってはすべて毎年、会計検査院が、無駄はなかったか、不正支出はなかったか、使途不明金はなかったかなどの検査を行います。そして、内閣は次の年度に、その検査報告とともに、決算を国会に提出しなければなりません（90条）。もちろん、無駄や不正支出、使途不明の問題は国会の審議で厳しく追及され、公表され、行政権を担当する内閣に影響を与えます。

（7）　財政②　〜納税者の権利

　「納税の義務」は確かにあります。国民として、きちんと履行しなければなりません。しかし、「税金を納めたらそれでおしまい」、無関心という姿勢は、

国民主権という原理からも変更させていく必要があります。「納税者の一人として」納税の義務を果たしたならば、引きつづき今度は「主権者の一人として」無駄遣いを監視しつづけ、有効に活用されていくよう声を上げ、政治にはたらきかけていく不断の努力が肝心です。憲法学および税財政法学を専門とされた北野弘久先生は、いち早く納税者の権利を確立していくことの必要性と重要性を指摘され、「納税者基本権」という新たな人権の考え方を提唱、実践されました。「ここにいう納税者基本権とは、歳入面・歳出面の双方にわたって納税者に関する憲法論のレベルにおける、さまざまな自由権・社会権の集合的権利を意味する。」と述べられました（北野弘久『納税者の権利』岩波新書、1981、43ページ）。本当にこの租税（税金）には正当性（正しく道理にかなっていること）があるのか、税率の引き上げはどうか、使途は適正か、ということに問題意識をもって国政に対して意思表明、意見表明していくことが大切です。

　税金の使途に関して、国民主権、基本的人権の尊重、平和主義の3大原理を有する日本国憲法は、「国民の納めた税金は、その3大原理の実現へ向けて、予算が組まれ、使われていくべき」との財政の基本方向を国家に要請している、と考えられます。「国家権力の非軍事化」「非軍事面からの国際協調主義」という積極的な平和の実現のための財政です。憲法学者で平和憲法論を展開される山内敏弘先生は「財政平和主義」※1と表現されます。生命・生存・生活の最低限を守り、生活の質を可能な限り発展させていく人権保障としての国家（地方自治に立脚する福祉国家）づくりのために、という意味では「財政福祉主義」としても確立されていく必要があります。

　「財政は日本国憲法の理念実現のために」――税金の使途の面からも国家権力を縛るという点で、第7章は統治機構に関する章といえます。

(8)　地方自治

　第8章は、地方自治についてです。国家権力は自分たちの存在と権限を「中央」としてとらえ、地方行政は中央政府の指示や指導に忠実に従ってさえいればよい、という差別的な"見下した"態度で威圧的に臨んできました。また実際に、大日本帝国憲法下ではこのような統治のしくみだったのです。知事は天皇が任命し、知事や議会（25歳以上の男子の制限選挙による）は内務大臣を長とする内務省の所管下に置かれました。地方は中央に支配され、天皇大権中心主義の戦争国家――大日本帝国の軍国主義――を下から支える役割を担わさ

れたのです。

　日本国憲法はこうした中央による地方の支配を廃止し、地方自治の基本原則を盛りこみました。「地方公共団体の組織及び運営に関する事項は、地方自治の本旨に基いて、法律でこれを定める。」(92条)としました。地方自治の本旨（本当の意味）とは「団体自治」と「住民自治」にあると理解されています。団体自治とは、都道府県、市町村は中央政府から一応独立した統治組織として「自分たち団体のことは、自分たちで決める」という自己決定を尊重しようとする考え方です。住民自治とは、「自分たち団体のことは、そこに住んでいる住民が参加して決める」という住民参加の方法や手続を尊重しようとする考え方です。どちらもきわめて重要です。

　団体自治に関しては94条がそれに当たり、地方公共団体の財産管理、事務処理、行政執行、条例制定の権能が認められています。住民自治に関しては93条2項に規定があり、地方公共団体の長（都道府県知事、市町村長、東京23区区長など）、議会議員（都道府県議会議員、市町村議会議員、区議会議員など）、その他法律が定める吏員（公務員）は、地方公共団体の住民による直接選挙で決められるとしています。

　ちなみに地方公共団体と地方自治体は同じ意味です。また地方分権と地方自治という表現ですが、地方分権は中央政府の権限を必要に応じて地方に分けるという意味で、中央を第一とする見方が底流にあるように思います。地方自治はもっと主体的に地方の自立、自律、自己決定を意味づけ位置づけようとするものです。中央政府に対峙する、近時の「地方政府」としての生成と展開については、その動向が今後も注目されます。厳として存在する中央政府中心の国家権力のあり方を、将来はもしかすると、地方政府連合というつながりの力で変形させていく可能性を秘めているといえるでしょう。第8章は、中央による支配から脱する、独立した地方自治という点で、統治機構に関する章となっています。

(9)　憲法改正

　第9章は憲法改正です。憲法改正の手続について定めているので、9章も統治機構に関する章といえます。憲法改正は今日の日本の憲法問題の最重要課題であり、その賛否の結果如何は、日本の国家権力のあり方および国民の権利や自由の"行く末"を大きく左右させるほどの衝撃力をもっています。

しかし、日本国憲法はみずからの憲法改正をそう簡単にはさせません。じつに厳しい要件を設けています。憲法改正に臨んで厳しい手続を用意している憲法を「硬性憲法」といいます。逆に、改正手続が比較的簡単な憲法は「軟性憲法」です。日本国憲法の硬性憲法としての性格は96条1項に明らかです。「この憲法の改正は、各議院の総議員の3分の2以上の賛成で、国会が、これを発議し、国民に提案してその承認を経なければならない。この承認には、特別の国民投票又は国会の定める選挙の際行はれる投票において、その過半数の賛成を必要とする。」と規定されています。国会議員全体の3分の2以上の賛成ではありません。衆議院、参議院それぞれで3分の2以上の賛成が必要です。しかも3分の2以上の賛成に達するまでにはいくつもの障壁があります。衆議院、参議院それぞれの憲法審査会で改正案が審議され議決されたのち本会議に付されます。そして両院それぞれ本会議で3分の2以上の賛成で改正案原案を可決した場合に、国会が憲法改正の発議を行って国民に提案されるのです。一言一句、完全に合意される憲法改正案を作成することは至難の業といえるでしょう。もしかりに憲法改正案を国会として発議し国民に提案できたとしても、最終的に、国民投票で過半数の賛成票が得られなければ、憲法改正はできません。

憲法改正の手続に関しては「日本国憲法の改正手続に関する法律」(略称：憲法改正国民投票法) があります。2007年5月18日公布、2010年5月18日に施行されています。この憲法改正国民投票法によると、過半数とは改正賛成の票数が有効投票総数の2分の1を超えた場合とされ、この過半数賛成をもって、憲法改正について国民の承認があったものとされています (126条)。

憲法改正については、第13章で憲法改正の手続や制度的しくみについて説明されます。また憲法改正の政治動向それ自体と憲法改正国民投票法に対して批判的な考察が加えられます。

日本国憲法は確かに、みずからの中に改正規定を設けました。しかし、憲法改正の手続さえ順序通り行えば「自由に、何でも変えていい」としているのではありません。それは次の章、第10章をみると分かります。それでは、いよいよ、実質的には日本国憲法の最後の章、第10章へつなげましょう。

(10) 最高法規

第10章は最高法規です。98条が憲法の最高法規性を謳い、97条が11条や12条に重ねて改めて基本的人権の本質を述べ、99条は天皇、摂政(天皇に代わっ

て国事行為を行う職、皇室典範に規定される天皇の法定代理機関)、その他すべての公務員に憲法尊重擁護義務を負わせます。国民主権、基本的人権の尊重、平和主義に立脚する日本国憲法は最高の法規であること、基本的人権は歴史のなかで過去の幾多の試練にたえて獲得されてきたものであること、基本的人権は現在だけではなく将来の国民にも、侵すことのできない永久の権利として信託されているものであること、を憲法自身が最後に語るのです。「文言上、すばらしいことを謳っているのだから憲法をだいじにしなさい。」ではないのです。人類の多年にわたる自由獲得の不断の努力、そのひとつの結晶が日本国憲法なのであり、日本国民にとってだけではなく「人類にとっての勇気」としての意味もあるからこそ、最高法規として位置づけられているのです。それゆえに、日本国憲法は国家権力の担当者たちに「憲法を尊重しなさい。擁護しなさい。」と義務命令を与えるのです。

先にも述べたとおり、日本国憲法はみずからの「改正」は認めていますが、第10章の3つの条文から「日本国憲法の本質は変えてはいけない」と国家権力の担当者だけではなく、国民にも縛りをかけようとしているのです。国民主権、基本的人権の尊重、平和主義という3大原理が日本国憲法の本質です。この国民主権、基本的人権の尊重、平和主義の意味や内容が、もし改正によって変質させられるようなことがあれば、日本国憲法は国民の権利や自由を守りきれないという憲法自身からにじみ出てくる願い想いが「本質は変えてはいけない。本質に関わるような意味や内容は変えてはいけない。」と国民にも制限をかけるのです。こうした考え方や立場を憲法改正限界論（説）といいます。逆に、憲法改正の手続さえ順序通り行えば自由に何でも変えられるとするのが憲法改正無限界論（説）です。みなさんは、憲法改正の限界を、どう考えますか…。

第11章は補則です。3つの条文から成ります。大日本帝国憲法から日本国憲法への移行までの間、憲法の公布から施行まで間の経過措置を定めています。第11章は補則ですが、統治機構に関する章としてかまわないでしょう。

※1　山内敏弘「憲法からみた財政の公共性―『防衛』費を中心に―」日本財政法学会編『財政の公共性』学陽書房、1990年、35ページを参照のこと。

参考図書

・伊藤真『憲法の力』(集英社新書)、集英社、2007
・木山泰嗣『憲法がしゃべった。』すばる舎、2011
・青井未帆『憲法を守るのは誰か』(幻冬舎ルネッサンス新書)、幻冬舎、2013
・長峯信彦監修／塚田薫著『日本国憲法を口語訳してみたら』幻冬舎、2013
・樋口陽一／小林節『「憲法改正」の真実』(集英社新書)、集英社、2016

第4章　基本的人権の種類と内容

―人権の内容は豊かです。しかし制約を受けることもあり、
また国民には義務もあります。

　基本的人権の種類と内容、そして基本的人権と「公共の福祉」との関係、国民の義務についてみていきましょう。基本的人権の種類と内容はじつに豊かです。憲法は「誰が何を有するのか、誰が何をしなくてはならないのか・してはいけないのか、誰が誰に対して何を求めることができるのか・できないのか」を明らかにしながら、基本的人権をさまざまな面から保障します。大きくは、包括的基本権、平等権、自由権、社会権、参政権、請求権に分類することができます（図表4－1参照）。また、国民には、「教育を受けさせる義務」(26条2項)、「勤労の義務」(27条1項)、「納税の義務」(30条)があります。

1．憲法13条（個人としての尊重、生命権・自由権・幸福追求権の最大の尊重）
　―幸福追求権はすべての人権を包み込み、一つにまとめる基本権です。包括的基本権ともいわれます。

（1）　幸福追求権

　まず、憲法13条を中核として、そこに11条「基本的人権の享有と性質」、12条「自由及び権利の保持義務と濫用の禁止」、97条「基本的人権の本質」が一緒につながって、基本的人権にとっての土台（基礎）を確実なものにしている点を指摘しておきましょう。その上で、重要となる13条です。条文を実際に読んでみましょう。

　「すべて国民は、個人として尊重される。生命、自由及び幸福追求に対する国民の権利については、公共の福祉に反しない限り、立法その他の国政の上で、最大の尊重を必要とする。」

　どうですか。第一に押さえたいことは、国民一人ひとりの人間は「個人として尊重される」ということです。憲法14条の「法の下の平等」を中心として構成される「平等権」とも深く関連しますが、高齢者だから、障がいがあるから、子どもだから、家柄（血統）が違うから、性別が違うから等々、本人にとっ

図表4-1 基本的人権の体系

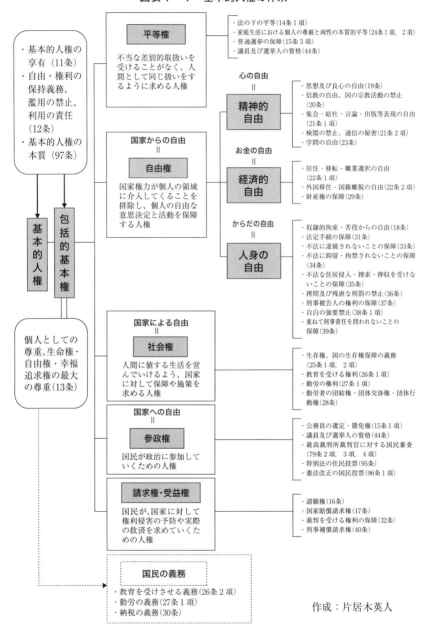

作成：片居木英人

てはどうすることもできない理由や事情によって差別的な取扱いを受けることなく、一個のありのままの自分、個人として尊重されるということなのです。

　また、生命に対する国民の権利（生命権）、自由に対する国民の権利（自由権）、幸福追求に対する国民の権利（幸福追求権）というように、これらの権利は、公共の福祉に反しない限り、最大に尊重されるということです。生命があるということ、人間としての生命であるということ、そして今まさにここに生きているということを、憲法はだいじにします。そこに人権としての価値を認め、「生命権」としたのです。次に、生命権が承認されればいいのか、ということですが、そうではありません。自らに由って（自由に）、自分に影響を及ぼすすべての事がらに関して意見を表明したり、選択したり自己決定できることが人間としてきわめて重要で、ここに自由権という価値を認めたのです。続いて、自由権があればもういいじゃないか、となりそうですが、これもそうではありません。人間として、自分として、個人として、他者とのかかわりの中で、そして社会とのかかわりの中で、幸福（しあわせ）の意味を問いながら追い求めていくそのこと自体に価値を認め、「幸福追求権」としたのです。みなさんは、これを「あたりまえだ」と思いますか。筆者は胸が熱くなります。憲法はそこまで「人間として、個人としてこの世に存在していることの、それぞれにとっての固有の意味と重さ」（人間の尊厳、個人の尊厳）を思い浮かべ、考えて、人権をより豊かなものにと願って人権保障の規定を設けたのです。

（2）　幸福追求権～その享受と行使についての責任
　戦争国家のなかで国家権力（軍事権力）の絶対命令によって「どんなに本人が生きたくても、生きることを許されず、散っていった無数の生命があったということ」、難しい病気で有効な治療法も分からないまま「どんなに本人が生きたくても、生きることがかなわず、閉じていく無数の生命があるということ」、いじめという犯罪の他者からの暴力によって「どんなに本人がやめてと願っても、暴力によって尊厳がはく奪され、追い詰められ、泣きながら消える生命があるということ」、その無念への想いや想像力をはたらかせていくとき、生命権、自由権、幸福追求権がいかに尊く重いものであるのかに、あらためて気づかされます。今ここに生きている自分が、実際に現実にそれらの権利を享受し、また行使できていることへの感謝、その自覚とその責任の大きさに身が引きしまります。

生命権、自由権、幸福追求権への自覚と、その享受と行使についての責任は、「公共の福祉」や「濫用の禁止」をどう理解するか、というだいじな問題につながります。後で項目を別にして取り上げることにします。
　生命権・自由権・幸福追求権は立法その他の国政の上で最大に尊重される必要がある、とされています。国家権力に対して「最大の尊重が必要だ」といっているのです。ということは、つまり、生命権・自由権・幸福追求権の尊重は、国家権力と向きあう市民社会のなかにおいても、私人間関係においても当然貫かれていく必要のある基本原則といっていいでしょう。先にも「人権の私人間効力」―間接適用―として触れました。民法という法律がありますが、この法律は、市民社会の（私人間関係の）基本を定めるもので、個人および相互間の自由な経済活動を保障しています。契約自由の原則、私的所有権の原則、過失責任の原則を柱に構成されています。民法はもちろん、最高法規としての憲法に従う法律として位置づけられます。民法1条は「私権は、公共の福祉に適合しなければならない（1項）。権利の行使及び義務の履行は信義に従い、誠実に行わなければならない（2項）。権利の濫用は、これを許さない（3項）。」と謳います。公共の福祉、信義、誠実、権利の濫用の禁止という文言は、じつは憲法にも登場するものです。他者とのかかわりや社会とのかかわりの中で人権をとらえるとき、こうした文言に含まれる意味は、きわめて重要です。

（3）　新しい人権
　公共の福祉、信義、誠実、権利の濫用の禁止、の意味の重要性を意識した上で、憲法13条、とくに幸福追求権に注目してみましょう。時代や社会の変化にともなって、新たに、人権としての保障が必要との要求が出てきます。しかし憲法には具体的に列挙されていません。「さて、困った」…このときに有力な梃子となるのが、幸福追求権なのです。憲法13条の幸福追求権は、現在憲法で保障されている基本的人権にとっての土台（基礎）でもあり、また、現在まだ具体的な規定のない「新しい人権」にとっても憲法上の"受け皿"となっているのです。現在の人権の土台（基礎）となり、また新しく形成されつつある人権の根拠として、その両者を大きく包みこむという意味で、幸福追求権は「包括的基本権」とも、とらえられています。ちなみに、新しい人権としては、プライバシー権、知る権利、アクセス権（マス・メディアに対して意見表明の場を提供するよう求める権利）、自己情報コントロール権、環境権、平和的生

存権、セクシュアル・ライツ（性的人格権：コラム「セクシュアル・ライツ」参照）などが上げられるでしょう。

ただし、幸福追求権を"人質"に、「必要ならば、何でもかんでも人権にできる」という危険な側面もあり、「人権のインフレ化」（人権への取りこみの要求を何でも聞き入れる結果、人権の内容が膨大なものとなり、逆に、人権の本

COLUMN
セクシュアル・ライツ（sexual rights：性的人格権）

第4回世界女性会議（1995年、北京）でかなり白熱した議論が展開されましたが、この用語は、けっきょく、会議の成果である「宣言」や「綱領」には盛りこまれませんでした。中絶の自由や同性愛の容認をめぐって、民族や宗教、文化などの違いによって、思想や見解の厳しい対立があったからです。しかし、「自らのセクシュアリティに関する事がらを管理し、それらについて自由かつ責任ある決定を行う権利」というような表現で述べられました。「性は人権であること」との認識が国際的にもしだいに広がってきています。セクシュアル・ライツは性的権利、性的人権とも訳されますが、筆者（片居木）は性的人格権ととらえ、その内容を「人間の尊厳に由来する性的自由（強制、強迫、恐怖からの自由）や性的自己決定（自立・自律・自治への自由）を基本性質として、暴力性を排除していく自由権、セクシュアル・オリエンテーション（性的指向）を含む差別的取扱いの撤廃をめざしていく平等権、ジェンダーに敏感になる視点からの積極的・多面的な施策を要求していく社会権、これらの要素を総合させたところの、セクシュアリティという人格価値についての、個人にとって固有の具体的な権利」と定義しています。この権利のなかには、リプロダクティブ・ヘルス／ライツ（性と生殖に関する健康／権利）が含まれます。すなわち「すべてのカップルと個人が自分たちの子どもの数、出産間隔、ならびに出産する時を責任をもって自由に決定でき、そのための情報と手段を得ることのできる基本的権利であり、最高水準の性に関する健康を得る権利」です。子ども買春、強制される売春、性暴力、性的虐待、商業的性的搾取としてのポルノ、性感染症、HIV、望まない妊娠など、世界中のいたるところで、個人がその被害者、あるいは加害者となってしまう深刻な人権侵害の現実があります。「基本的人権としてのセクシュアル・ライツ（性的人格権）」の確立と定着へ向けた総合的な取り組みが強く求められています。

質を空洞化させてしまうこと）として危惧されています。例えば、本当にあくまでも1つのたとえ話ですが、幸福追求権の一環として「自己の生命を自由に処分する権利」（自己生命処分権：自殺［自死］する自由への開放）が主張されたとします。「生きていくことがイヤならば、誰でも自由に死んでかまわない。それが幸福の追求の、結果としての自己決定権である。」という立論です。みなさんは、賛成ですか…。もしも、"国民の多数が肯定"となれば、裁判上も「自殺（自死）権」が実質、認められるようになり、そしてこのとき、自殺対策基本法も自由な自殺（自死）権への"おせっかい"として「憲法違反、すなわち違憲の法律」との憲法判断が下されることになるかもしれません。

ですから、くり返しになりますが、生命権、自由権、幸福追求権への自覚と、その享受と行使の責任を、「公共の福祉に反しない」や「自由・権利の濫用の禁止」との関係のなかで理解することがだいじなのです。

2．平等権
―不当な差別的な取扱いを受けることがなく、人間として同じ扱いをするように求める人権です

（1） 法の下の平等

「個人としての尊重、生命権・自由権・幸福追求権の最大の尊重」を定めた憲法13条の次に「法の下の平等」（14条1項）が置かれている点に注目しましょう。生命権、自由権、幸福追求権は最大の尊重を必要とするものですが、このときに「不当な差別的取扱いを受けることがない」という条件もあわせて保障されないと、一人ひとりの個人にとっての人権の価値や質、重さそのものに差がつけられ、選別されて、「大事なお方の人権はより大切に、そうでない人の人権は"それなりに"…保障されます。」ということにもなりかねません。ですから、14条1項の「すべて国民は、法の下に平等であつて、人種、信条、性別、社会的身分又は門地により、政治的、経済的又は社会的関係において、差別されない。」という規定が重要なのです。「すべて」国民は（主語）、差別されない（述語）、のです。

差別の禁止や平等の権利については、憲法14条を基本に、24条「家庭生活における個人の尊厳と両性の本質的平等」や44条「議員及び選挙人の資格」においても規定されています。家庭生活の中における配偶者間の平等（近時、配偶者間とは男女の夫婦関係だけではなく、同性婚、多様な性のかたち同士の

カップルの共生関係もふくまれると考えられてきています）と、政治に参加する条件・資格の平等が、憲法上の規定として明記されています。

　日本国憲法の前の時代――天皇大権の大日本帝国憲法下――においては、女性の権利や自由は、とくに家庭生活や政治参加の場面において不当に制限され、奪われ、男性優位の下に置かれ、差別的な取扱いを受けたのです。「家」制度の中で戸主権（戸主としての父親の権限）には絶対服従で、婚姻の自由は否定されました。男子が第一で、家族間の平等は存在していませんでした。政治参加の場面でも、女性には選挙権（投票権）も被選挙権（立候補権）も認められていなかったのです。

　男性の選挙権もこの時代、制限されていました。身分、門地（家柄・家系）、財産、収入を理由に差別的な取扱いを受けたのです（制限選挙）。1925年の、満25歳以上の男子に選挙権が認められたことをもって「普通選挙実現」と表現されることがありますが、これはまちがっています。性別によって女性に選挙権は認められていなかったので、依然として「制限選挙」は続いていたのです。天皇大権の大日本帝国憲法の国家が終わった1946年の4月の国政選挙で初めて女性に参政権が認められ、また実際に行使されて、ここに完全な普通選挙が実現することになったのです。

（2）　障害者権利条約の意義

　差別の禁止に関して、「障害者の権利に関する条約」（略称：障害者権利条約、2006年12月13日国連総会採択、2014年1月20日日本国批准）がより重要な存在です。障害者権利条約は、前文で「…人種、皮膚の色、性、言語、宗教、政治的意見その他の意見、国民的な、種族的な、原住民としての若しくは社会的な出身、財産、出生、年齢又は他の地位に基づく複合的又は加重的な形態の差別を受けている障害者が直面する困難な状況を憂慮し、…」と述べ、もちろん「障害」も含め、その5条1項は「すべての者が、法律の前に又は法律に基づいて平等であり、並びにいかなる差別もなしに法律による平等の保護及び利益を受ける権利を有する」としています。憲法14条を超えた、重厚な平等権の内容に発展しているのです。また、障害者の権利条約は、他の者と同じようにすべての権利や自由を享有でき行使できるようにするために「合理的な配慮」の提供が確保されることが必要、としています。具体的には、耳の不自由な（聴覚に困難がある）人がいる場合に、その個人にとってのその困難な状況に応じ

て、手話通訳や口述筆記などのサービスが提供されるべきという配慮――変更や調整――が必要、ということです。

　差別問題や平等権の今日的な基調は「差別されない」という"受け身"から、「差別させない」とする"能動的"なかたちへ、といってもいいでしょう。「誰かが自分の権利や自由を保護してくれる」という"待ち"の姿勢から、「自分から他へはたらきかけて権利や自由を具体的に実現させていく」という主体的で積極的な行動が活発になってきています。「当事者主権」ともいわれ、差別問題や平等権保障のあり方は、自己決定権（論）とも結びつき、実質な平等の確保（対等化への指向）を要求しながら、差別の撤廃への動態（活発に大きく動き変化している様子）を形づくっています。

> ## 3．自由権
> ――国家権力が個人の領域に介入してくることを排除し、個人の自由な意思決定と活動を保障する人権です。「国家からの自由」ともいわれます。

　まず、人権保障の要諦（かなめとなる大事な点）とされたのが自由権です。国家権力が個人の領域に介入してくることを排除し、個人の自由な意思決定と活動を保障する人権です。国家権力によって"これこそが正しい"思想、信条、宗教であると決めつけられ、無理やり押しつけられたとしたらどうでしょう…精神的自由への侵害です。国家権力によって、"勝手気ままに"自分の財産を強制的に取り上げられ、そのまま捨て置かれてしまうとしたらどうでしょう…経済的自由への侵害です。国家権力によって、ある日突然に「お前は罪人だ」と身柄を拘束され、拷問を受け、何の手続きもなしに刑が科せられたとしたらどうでしょう…人身の自由への侵害です。もちろん、これを受け入れなかったり、抵抗したりした場合には厳罰に処せられます。まさに国家権力による恐怖政治です。憲法前文は、こうした人権への侵害を「専制と隷従、圧迫と偏狭」と表現します。

　ですから憲法も、精神的自由――心の自由、経済的自由――お金の自由、人身の自由――からだの自由、に分けて自由権を構造的に保障しようとしています。

（1）　精神的自由と経済的自由

　精神的自由は、思想・良心の自由（19条）、信教の自由（20条）、集会・結社・言論・出版等の表現の自由（21条1項）、検閲の禁止・通信の秘密（21条2項）、

学問の自由（23条）がそれに当たります。精神的自由に関して、「国旗及び国歌に関する法律」（略称：国旗・国歌法）の運用の問題点を挙げておきましょう。この法律は日章旗（日の丸）を国旗、君が代を国歌とするとだけ規定したものですが、とくに国公立学校の教育現場では国旗掲揚への儀礼や国歌斉唱への義務が強められてきています。日の丸や君が代は、天皇大権の大日本帝国の軍国主義が他国へ攻め入るときの"侵略の"シンボルとされた歴史的事実があるのです。日の丸や君が代への強制（国民みんな、有無をいわずに従えとするような同調圧力）は「思想及び良心の自由は、これを侵してはならない。」（19条）に違反する疑いがあります。

　経済的自由は、居住・移転・職業選択の自由（22条1項）、外国移住・国籍離脱の自由（22条2項）、財産権の保障（29条）です。セックス産業で売春をはじめとする性サービスの提供に従事する人たちのことを、近時、「セックス・ワーカー」とよび、性労働者として正式に承認するよう求める動きがあります。とても難しい問題ですが、みなさんは憲法上の「職業選択の自由」として「売春の（買春の）自由」を認めますか、それとも否ですか…。

（2）　人身の自由

　人身の自由は、奴隷的拘束及び苦役からの自由（18条）、法定手続の保障（31条）、不法に逮捕されない自由（33条）、不法に抑留・拘禁されない自由（34条）、不法に住居侵入・捜索・押収されない自由（35条）、拷問及び残虐な刑罰の絶対禁止（36条）、刑事被告人の権利の保障（37条）、自白の強要の禁止（38条）、遡及処罰の禁止・一事不再理（39条）がそれに当たります。遡及処罰とは、そのときの、その行為には刑罰がなかったにも関わらず、現在できた刑罰規定を過去にさかのぼって、そのときの、その行為に適用して処罰することです。これが禁止されるのです。犯罪と刑罰はあらかじめ法律によって定められていなければならない――この原則を罪刑法定主義といいます。一事不再理とは、同じ犯罪について、重ねて刑事責任を問われないことを保障するものです。

　憲法は人身の自由を手厚く保障しています。被疑者や刑事被告人の人権を、です。大日本帝国憲法下での絶対な警察・検察・裁判権力の中においては、人身の自由の保障はあまりにも弱いものでした。無罪でも犯罪者とされ、拷問を受け、"殺されていった"人たちが数多く存在しました、こうした反省の上に立って、人身の自由に関しての規定が盛りこまれたのです。

最近、「犯罪加害者の権利だけ守られて、被害者の権利は蔑ろにされている」との批判が強まっていますが、そうではありません。これは両者を同じ「自由権」という土俵の上に置いて"闘わせて"、国家権力に勝ち負けの判断を迫ることに等しいです。犯罪被害者の（本人の、その家族の、その遺族の）権利保障も、欠くことができないほどだいじなものなのです。しかし、憲法は自由権として、国家権力が制限し奪ってきた「人身の自由」をまず第一に確保しようとします。そして同時に、「犯罪被害者支援」へも乗り出そうとするのです。犯罪被害者等基本法や「犯罪被害者等の権利利益の保護を図るための刑事手続に付随する措置に関する法律」（略称：犯罪被害者保護法）もその一つです。犯罪被害者等の施策に関する国の責務、その実施責任を問い、被害者等の権利利益の保護を図るよう求めていく権利は自由権保障としてではなく、本質的には「国家からの自由」――人身の自由――とのつながりで考えるべきものでなく、請求権として、社会権として理解されていくことが重要です。請求権とは、国民が国家権力に対し、権利侵害の予防や、実際の救済を求めていくための人権です。人権保障をより確かなものにするための人権です。刑事手続への参加保障、加害者の情報開示がそれに当たります。犯罪による被害の心身上のケアを受ける権利の保障は社会権として、これらの施策をとるよう国家に要求していくのです。そして国家には、それら権利保障の実現を図っていく責任があるのです。

（3）　死刑制度の賛否

　死刑制度の賛否についても触れておきましょう。2018年中、15人が死刑執行となり、確定死刑囚は109人（2018年12月27日現在）ということです。憲法36条は「公務員による拷問及び残虐な刑罰は、絶対にこれを禁ずる。」と規定します。絶対に、という表現はこの36条以外には使われていません。それだけ、大日本帝国憲法下では公務員による拷問や残虐な刑罰が行われてしまった、ということへの厳しい反省がこめられています。死刑を「残虐な刑罰」ととらえ、そこに憲法13条の生命権の最大の尊重の必要という条文を重ねると「死刑制度は憲法違反」とする結論を導きだすことができます。死刑廃止条約も「死刑の廃止が、人間の尊厳の高揚及び人権の漸進的な発展に寄与することを信じ、…死刑の廃止のすべての措置が、生きる権利の享受における進歩と考えられるべきであることを確信し、…」と謳います。死刑廃止条約の正式名

称は「市民的及び政治的権利に関する国際規約の、死刑の廃止を目標とする第2選択議定書」といい、1989年12月15日、国連総会において採択されています。一方、憲法31条は「何人も、法律の定める手続によらなければ、その生命若しくは自由を奪われ、又はその他の刑罰を科せられない。」としています。死刑は刑法や刑事訴訟法に定められ認められている刑罰です。法律の定める手続によっているとして、死刑は合法であり合憲（憲法に適合している）と主張されます。13条の生命権に関しても「公共の福祉に反しない限り」という部分に注目して、他者を何人も殺害した（いくつもの生命を奪った）ので「公共の福祉に反している」として、その加害者の生命権は「立法その他の国政の上での最大の尊重の必要」という枠をはずされ、死刑という"生命権はく奪の"刑罰は正当化される、と立論されます。

このように、憲法問題（人権問題）は、憲法のどの条文を根拠にするかの違いによって正反対の解釈を生じさせることがあります。みなさんは、死刑存廃——存続か廃止か——の問題をどう考えますか…。

4．社会権
——人間に値する生活を営んでいけるよう、国家に対して保障や施策を求める人権です。「国家による自由」ともいわれます。

（1） その自由権的側面の重要性

自由権は、国家権力が個人の領域に介入してくることを排除し、個人の自由な意思決定と活動を保障する人権であり、「国家からの自由」が特徴でした。社会権は、この逆です。人間らしい生活、つまり健康で文化的な生活を営んでいけるように、必要な施策をとるように国家に求める人権です。人間らしい生活を確保するために、国家権力の個人の生活（私的領域）への介入を認めます。

しかし、国家権力の介入に対しては警戒と注意が必要です。あくまで、国民の（国民主権の）、人間らしい生活を確保するために、です。国家権力の、期待する政策方向への誘導のため、ではありません。「出生前診断、受けてください。そのための施策です。」（障がいに初期対応して、そのあとの社会的費用の軽減につなげたいとする思惑）、「脳死、広げていきましょう。そのための施策です。」（死の判断を一時も早くして新鮮なうちに臓器移植を実施、普及させていきたいという思惑）、「生活習慣病は悪です。有害な要因は全てつぶしていきましょう。そのための施策です。」（増大する医療費を抑制していく思惑）…

どうですか。何でも"それらしい理由"をつければ、国家権力は施策の強制をもって個人の（私的な）領域に介入してくることができてしまうのです。社会権をとらえていくときに「この自由の、この自己決定の部分には、権力的な介入は認めない」という考え方がだいじです。これを「社会権の自由権的側面」といいます。

社会権は、生存権（25条1項）を基本に、教育を受ける権利（26条1項）、勤労の権利（27条）、勤労者の団結権・団体交渉権・団体行動権（28条）が規定されます。

（2） 生存権

基本となる憲法25条を読んでみましょう。
「すべて国民は、健康で文化的な最低限度の生活を営む権利を有する（1項）。国は、すべての生活部面について、社会福祉、社会保障及び公衆衛生の向上及び増進に努めなければならない（2項）。」

すべて「国民は」（主語）、権利を「有している」（述語）、のです。どういう権利でしょう。「健康で文化的な最低限度の生活を営む権利」です。1項のこの権利を、生存権あるいは最低生活権といいます。すべての生活部面においてこの権利を保障していくよう、国は（主語）、努めなければならない（述語）、のです。2項は生存権保障のための国の政策実施義務を述べています。憲法25条は1項と2項を合わせ一体として、「生存権保障と国家責任の原理」を明確にするものです。1項と2項を分けて、それぞれ別のものと理解してはなりません（1項・2項分離論といいます）。また、2項の国の政策実施義務を、「国が政策実施へむけて努力をしていくよう単に宣言したものにすぎない」とする見解もありますが（プログラム規定説といいます）、これでは生存権保障の政策や施策は具体的に進められていきません。「国は取り組む努力をしてまいります」という宣言…「がんばります！」だけなら誰でも言える…では、まったく意味はありません。

なお、2項に関連して、日本の社会保障には5つ柱があります。社会保険、後期高齢者医療制度、公的扶助（生活保護）、社会福祉、公衆衛生（医療及び環境）です（**図表4－2**参照）。憲法25条を直接に受けるかたちで生活保護法が存在しています。生活保護法1条は、その目的として「この法律は、日本国憲法第25条に規定する理念に基き、国が生活に困窮するすべての国民に対し、

図表4−2　日本の社会保障制度
―社会保険・後期高齢者医療制度・公的扶助・社会福祉・公衆衛生の5つの柱―

社会保険	年金保険		20歳以上の国民がいずれかの年金保険に加入することによって、高齢になったとき年金を受け取ることができる。 ＊国民年金、厚生年金保険
	医療保険		すべての国民がいずれかの健康保険に加入することによって、安く治療を受けることができる。 ＊国民健康保険、健康保険、各種共済保険、船員保険
	労働保険	雇用保険	働く人が加入する保険で、失業したときに一定期間給付金が支給される。
		労働者災害補償保険	働く人が全額会社負担で加入し、業務による傷病や事故のときに所定の保険給付が行われる。
	介護保険		40歳以上の国民が加入する保険で、介護が必要になったときに介護サービスが給付される。
医療制度	後期高齢者		75歳以上の後期高齢者の保険料1割（現役所得並み3割）、現役世代（国民健康保険、被用者保険）からの支援（約4割）、そして公費（約5割）を財源とした高齢者医療制度。
公的扶助			国が、生活に困っている家庭に憲法25条の理念の下に、最低限度の生活を保障し、自立を助長する制度（生活保護制度）。 ＊生活扶助、教育扶助、住宅扶助、医療扶助、出産扶助、生業扶助、介護扶助、葬祭扶助の8つ
社会福祉			社会的な生活問題をかかえ、要保護性、要支援性を有している子ども、女性、ひとり親家庭、障がいのある人、高齢期にある人、犯罪からの社会復帰をめざす人などに対してその問題の軽減・緩和・解決を図ることを目的に、公共性をもつ直接的あるいは間接的な援助活動を総合的に展開し生活保障をめざす、公的責任を軸とした社会的取り組み。 ＊児童福祉、子ども家庭福祉、障がい者福祉、高齢者福祉、女性福祉、更生保護など
公衆衛生	医療		国や地方自治体が、国民（住民）の健康を守るために、保健所等を中心として、感染症予防対策、食の安全対策などを行う。
	環境		国や地方自治体が、国民（住民）の健康を守るために、生活環境の整備や公害対策、自然保護などを行う。

作成：片居木英人

その困窮の程度に応じ、必要な保護を行い、その最低限度の生活を保障するとともに、その自立を助長することを目的とする。」と謳います。人間らしい生活の、その最低限を確保しようとする法律で、今日の貧困問題への対応策としての法的根拠、最後の"とりで"となるものです。

(3) 教育を受ける権利

　教育を受ける権利がなぜ、社会権の1つなのでしょう。「文化的な生活を営む」というとき、その年齢や能力に応じ、幅広い教養や習慣、基本的な知識や技術を習得して日常生活で自ら活かしていくことができる、という条件の確保は必要不可欠です。もし、みなさんがここで、日本語を話したり、読んだり、書いたりすることができなかったら、自分の思いや考え、したいこと、したくないことを他の人に伝えられますか。自分とは何か、どのような社会的存在か、どのような時代に生きているかなど、自分自身を認識して理解することができますか。…難しいですね。人間らしい生活、文化的な生活を実現させようとするとき、教育は絶対に必要なものです。ですから、国家に対して、教育の環境を整えるよう、条件を整備するよう、そして実施するように求めていく権利が欠かせないのです。

　「国家に対して、教育の環境を整えるよう、条件を整備するよう、そして実施するように求めていく」ということに関して、子どもたちに提供する教育内容は誰が決めるのか、という問題があり、これには2つの見方があります。一つは「国家の教育権」です。社会権として、国民から国家に必要な施策をとるよう求められているのだから、当然に国家権力が教育内容に関与し決定して、実施すべきである、という考え方です。もう一つは「国民の教育権」です。国民は国家に必要な施策をとるよう求めているが、それはあくまでも教育の環境や条件の整備ということであって、教育内容そのものは保護者や教師を中心とする国民自身が自由に決めていくもの、とする考え方です。社会権の最初の部分で、国家権力は施策の強制をもって個人の（私的な）領域に介入してくることができる、ということを指摘しました。「親の教育の自由」や「教師の教育の自由」に対応させて子どもの「教育を受ける権利」をとらえると、教育の営みは個人の（私的な）領域の自由に属するものと考えられ、国の教育内容への介入は認められないということになります。教科書検定の強化、日の丸掲揚・君が代斉唱への強制が、政治介入で（国家権力の介入で）強められていくとす

るならば、社会権の自由権的側面の強調として、「国民の教育権」は支持されてよいものでしょう。

（4） 勤労の権利

　勤労の権利は、働く権利（勤労権、労働権）です。就職する権利、働きつづける権利、転職の自由も含まれます。あたりまえですが、お金がなかったら、生存に必要な最低限が手に入らず、生きていくことができません。仕事によって賃金を得て初めて、「人間らしい、健康で文化的な最低限度の生活」の土台（経済的な基礎）が整います。勤労の権利とともに、憲法は勤労者の団結権・団体交渉権・団体行動権を保障します。雇われたのはよいけれど、そのなかでは働く者の権利は無視されゼロに近い、というのでは、まさに憲法18条の「奴隷的拘束及び苦役の禁止」に反しています。雇用者（使用者）と勤労者（労働者）との関係においては、賃金カット・労働内容の強化・使い捨て・解雇など、勤労者（労働者）が不利な立場に立たされやすいのです。そこで憲法は、勤労権（27条）として、国家に就労の機会を保障するため雇用環境を整えるよう、また労働条件の最低条件を設けて労働者保護を図るよう求める権利を認めました。これに対応する法律が雇用対策法や職業安定法、労働基準法などです。また、勤労者の団結権・団体交渉権・団体行動権（28条）として、不利な立場に立たされやすい勤労者（労働者）の地位を向上させ、雇用者（使用者）との対等な交渉を促進させるため、国家に労働者保護の施策とるよう求める権利を認めました。これに対応する法律が、労働組合法や労働関係調整法です。雇用者（使用者）に対峙して、勤労者個々が団結して（団結権）、団体として労働条件を交渉して（団体交渉権）、要求貫徹のためにストライキなどの行動をとる（団体行動権：争議権ともいいます）、この３つを「労働三権」といいます。ちなみに、労働三法は労働基準法（労働条件の最低基準を設定）、労働組合法（労働組合の保護、労働三権の保障）、労働関係調整法（労使間の紛争の調整手続、労働争議の平和的解決をめざすもの）です。

5．参政権

> ―国民が政治に参加していくための人権です。参政権が「国民が政治の主人公」をしっかりと裏打ちします。「国家への自由」ともいわれます。

　参政権は、何よりも「国民主権」を現実にするための具体的な方法であり、

まさに「国民による政治」を保障するために欠かすことのできない人権です。また、参政権は政治に国民の意思を反映させて、国家権力に対して、基本的人権を、自由権としてか、平等権としてか、社会権としてか、請求権としてかその確保をするよう命じるための最重要の手段です。参政権がなければ、人権保障は"絵に描いた餅"になってしまいます。憲法は参政権を「法の下の平等」(14条1項)を基本に、「公務員の選定及び罷免権」(15条1項)、「普通選挙の保障」(15条3項)、「投票の秘密の保障」(15条4項)、「議員及び選挙人の資格」(44条)、「最高裁判所裁判官の国民審査」(79条2項)、「一つの地方公共団体のみに適用される特別法に対する住民投票」(95条)、「憲法改正承認の国民投票」(96条1項)によって保障しようとします。

　そして、こうした参政権の保障のため、選挙権には5つの原則、すなわち普通選挙、平等選挙、秘密選挙、直接選挙、自由選挙があると考えられています。

(1) 普通選挙
　普通選挙は性別や財産などによって差別されない、とするものです。しかし実際には、差別問題は残されています。一つは、永住外国人の参政権問題です。「日本国民ではないから」という理由で、国政レベルにおいては選挙権・被選挙権(立候補権)ともに否認されています。納税の義務は果たしているにもかかわらず、です。地方選挙では認められるようになってきました(禁止説から許容説へ)。裁判所からも地方選挙権の外国人への付与を容認する判決が出されるようになってきています。「制限されなければならない理由は何なのか、そこに正当性(法としての正義)があるのか」を問い、確認しながら政治参加への「とびら」を開いていく方向をめざす必要があるでしょう。

　もう一つは、障がいをもつ人たちの参政権問題です。障がいをもつ人たちの参政権は、あたりまえのように「やむを得ないこと」として、選挙権が行使されないことへの"沈黙"がながく続いてきました。しかし、参政権は重要な基本的人権の一つです。政治参加への平等な機会の保障は、障がいを理由に"例外"とされてはいけないものです。障がいの程度に応じた個別に必要とされる支援措置をとって、選挙権の行使を実質的に保障していくことが急務です。この件に関しては、公職選挙法も改正されています(コラム「公職選挙法の改正」参照)。支援への公費負担のあり方もめぐって、前途多難な人権保障の課題となっています。障害者権利条約29条は、政治的及び公的活動への参加について、

「障害者が、差別なしに、かつ、他の者と平等に政治に効果的かつ完全に参加することができる環境を積極的に促進し、及び政治への障害者の参加を奨励すること。」と規定しています。

(2) 平等選挙

平等選挙は、一人一票・同一価値というもので、票の数が同じという数的平等だけでなく、一票のもつ価値の重さの平等（質的平等）まで必要とするものです。例えば、同じ選挙で、30万人の人口から国会議員1人選出するという区割りと、10万人の人口から国会議員1人選出という区割りがあったとします。こうした区割りを選挙区といいますが、このときじつは、両者の選挙区間には一票の重さ（価値）に3倍の格差が生じています。人口30万人ならば3名の国会議員を選出できなければ、同じ一票の価値の重さという点において、不平等です。したがってあと2名、選出されるべき議員数を増やす措置が必要です。議員定数不均衡問題として、現在、裁判でも「一票の格差」訴訟として

COLUMN

公職選挙法の改正

今まで、成年後見制度により後見人をつけた知的障がいをもつ人たちは判断能力がないとして選挙権が認められていませんでした。公職選挙法11条に規定がありました。成年後見制度とは、認知症や知的障がいや精神障がいをもつ人の財産管理、福祉サービス利用、契約などを支援する制度で、判断能力の程度に応じて後見、保佐、補助の3種類あります。選挙権が失われるのは後見の場合でした。申し立てを受けた家庭裁判所が本人の判断能力を審査し、家族などを「後見人」として選任します。後見人は本人に代わって契約などを結びます。後見人のいない知的障がいをもつ人には選挙権があり、不平等となっていました。成年後見制度で後見人をつけたことを理由に参政権が一律に奪われてしまう制度が問題とされ、公職選挙法の違憲性（憲法違反性）が裁判でも争われていました。2013年3月14日、東京地方裁判所は「成年後見制度によって選挙権が奪われることは憲法違反であり、公職選挙法は無効。」としました。その後、この判決は確定し、国会でも公職選挙法改正が行われ、選挙権が認められるようになりました。

投票価値の不平等が争われています。最高裁裁判所からも「選挙自体は無効にはしないが、不均衡は違憲状態である」という厳しい判決が下されています。

　平等選挙に関しては、現在の衆議院議員選挙の小選挙区比例代表並立制の選挙制度の問題もあります。とくに小選挙区制は1選挙区から1人を選ぶもので、最高得票獲得者1人のみが当選するしくみです。2大政党対決という面では政権交代はしやすくなりますが、死票（選挙で落選した候補者に投じられた票）が多くなります。多党型選挙で有権者の投票先が分散すると死票数はもっと増えます。また、政党の得票率と、議席数があまりにも一致しないのも特徴です。比例区では3％の得票で1議席獲得が一応の目安ですが、政党間で得票率にそんなに差がなくても、議席数が大きくひらいてしまうのです。片方が10万票で当選しても、接戦のもう一方は9万8000票で落選です。この9万8000票は死票となってしまいます。一票の価値（重み）という点では、"生かされない"死票として処理されるにはあまりにも多すぎます。政党間の得票率がわずかな差でも、勝った方の政党が議席数を大幅に獲得するということであっては、主権者の意思、民意が正確に政治に反映されているとはいえません。多様な主権者の声を選挙を通じて国政に直接届けるという参政権の本質からすると、小選挙区制はそれを阻害し、実質的な参政権（投票権）の不平等となっており、早急の見直しが必要です。

（3）　秘密選挙・直接選挙・自由選挙

　秘密選挙は、自分が誰に投票したのか・しなかったのか、どのような内容に賛成したのか・反対したのか、について秘密が保たれるというものです。この原則がないと自由や自己決定の意思で投票することができません。ときの国家権力が「おまえは、誰に投票したのか」を各人に強制的に問いただし、もし国家権力の反対側（人や政策）を支持したことが判明し、厳罰に処せられたとしたら、恐怖政治となってしまいます。公明かつ適正な選挙はまったく望めません。ですから、憲法15条4項は「すべて選挙における投票の秘密は、これを侵してはならない。選挙人は、その選択に関し公的にも私的にも責任を問はれない。」とするのです。

　直接選挙は、国民が直接に議員などを選挙するという制度です。地方選挙の場合は都道府県知事、市町村・区長も直接選挙となります。国会議員のなかから国会の多数の議決によって内閣総理大臣が指名され、その内閣総理大臣が内

閣を組閣し、行政権を担当するしくみは議院内閣制であり、これは間接選挙制によるものです。首相公選制（国民が直接、選挙で内閣総理大臣を選出する制度）の導入の是非をめぐり議論されていますが──もちろん憲法改正が必要ですが──、これは直接選挙に当たります。

　自由選挙は、国家権力（社会的権力や他者の力も含む）によって誰に投票しろ・投票するな、どのような内容には賛成しろ・反対しろ、などの強制が加えられることを排除するものです。「自由に表明される意思」による選挙が重要なのです。もちろん、「投票しない自由」（棄権）も確保されなければなりません。棄権への処罰となれば、それは強制を意味し、自由選挙ではなくなってしまいます。しかし、投票しない自由（棄権）は、政治の現状を"肯定する"力として作用します。現状を"変える"力にはならないことを、主権者として肝に銘じておくべきでしょう。

6．請求権
──国民が、国家に対して権利侵害の予防や実際の救済を求めていくための人権です。人権保障を確実なものにするための人権ともいえます。

（1）　請願権・裁判を受ける権利

　請求権は受益権と表現されることもあります。人権が侵害を受けたときに国家にその救済を求めていくための人権で、請願権（16条）、裁判を受ける権利（32条）、損害賠償請求権（17条）、刑事補償請求権（40条）がそれに当たります。

　請願権は、国（国会や内閣）・地方公共団体に政策や施策ついての要望を伝える権利です。請願を受け取った国家機関・行政機関は誠実にこれを処理する義務がありますが、実際に請願内容を実現させる義務まではありません。請願権の行使によって、いかなる差別待遇も受けないことを 16 条は保障しています。請願権は政治への自由な意思表明の一つのかたちであり、国民主権の原理や参政権につらなっている権利といえます。

　裁判を受ける権利は、権利や自由が侵害された場合に、国家権力の、一つの独立した機関である裁判所に訴え出て、裁判を通して救済を求める権利です。裁判所の出す「判決」には法的強制力がありますが、より公平・より公正を確保するため、一審から二審、三審まで争うことができます（三審制といいます）。最高裁判所が最後の三審の段階で、違憲審査権を含めた終審裁判所としての役割を担います。公平・公正の確保が裁判の核心です。したがって、76 条の「司

法権の独立・特別裁判所の設置禁止・裁判官の独立」は欠かせないのです。また「何が、どこで、誰によって、どう決まったか」が分からなければ、"闇から闇に葬られる"ことにもなりかねません。秘密裁判は否定されなければなりません。82条は「裁判の公開」を規定しています。

（2）　損害賠償請求権・刑事補償請求権

　損害賠償請求権は、公務員の不法行為によって損害を受けたときに、国や地方公共団体に賠償を求めることができる権利です。不法行為を行った公務員の指揮監督責任者として国家や地方公共団体の責任が問われるのです。大日本帝国憲法にはこの規定がありませんでした。「お上のなされたことで、不利益を受けたからといって文句を言うな」として"捨て置かれた"のです。損害賠償請求権の具体的な内容は国家賠償法という法律に定められています。

　刑事補償請求権は、刑事手続において身柄を拘束された後、被告人に無罪判決が出された場合に、被告人としてこうむった損失を補うよう、国に損失補償を求める権利です。いわゆる「冤罪」（えん罪）、無実の罪です。誤判（まちがった判断・判決）によるもので、物的な証拠よりも自白中心（しかも強要をともなった）の強引な警察捜査が背景にありました。大日本帝国憲法の下では拷問捜査も"あたりまえ"で、拷問により生命を落としていった人たちも多数いたのです。刑事補償請求権はもちろん存在していませんでした。それゆえ日本国憲法は、冤罪の温床となる、公務員による拷問や残虐な刑罰を「絶対に」禁止するのです（36条）。そして、「強制、拷問若しくは強迫による自白又は不当に長く抑留若しくは拘禁された後の自白は、これを証拠とすることができない。」（38条2項）として、自白の強要を禁止するのです。また、「何人も、自己に不利益な唯一の証拠が本人の自白である場合には、有罪とされ、又は刑罰を科せられない。」（38条3項）として、自白のみの証拠能力に制限をかけているのです。なお、刑事補償請求権の具体的な内容は刑事補償法という法律に定められています。

7. 基本的人権と「公共の福祉」
――人権には、もともと含まれている制約と政策として必要な制約があります。公共の福祉は、対立する人権同士を調整するための原理です。

(1) 内在的制約

　憲法のなかにおいて、「公共の福祉」あるいは「公共のために」という表現は、どこに出てくるでしょう。…12条、13条、22条1項、29条2項、29条3項にあります。基本的人権は本当にだいじなものですが、自分の権利や自由の行使がときとして、他者の権利や自由を傷つけてしまう場合があります。例として「授業中の私語」をあげてみましょう。教員はもちろん、授業中の私語を厳しく注意します。しかしこれは、私語が授業をしている教員に対して失敬というよりも――もちろんそういう面も確かにありますが――、むしろ私語という"おしゃべり"の雑音や騒音が、同じ教室にいる他の生徒や学生個々の「静かな教室環境のなかで授業を受ける権利(自由)」を妨害する"言葉の暴力"となってしまうからです。私語"おしゃべり"という言葉によるコミュニケーションそれじたいは「表現の自由」(21条)として尊重されるべき人権です。授業中でなく休み時間などであれば、まったく問題はありません。しかし、「授業中の教室」は、その授業を受けることを目的に多数の生徒や学生、教員が集う公共の時間・空間の場所となっています。ですから、授業に関係のない私語"おしゃべり"はそこで注意を受け、制限されるのです。授業が終われば、その制限は解除されます。

　憲法上の権利や自由、すなわち基本的人権にはもともと、「公共の福祉のために」――他者の権利や自由にも配慮し尊重するように――という要請が組みこまれているのです。人との関係で、社会との関係で"自分さえよければ"という自分勝手の延長で権利や自由が行使され他者への危害が発生するとき、そこには当然、制約や限界の原理がはたらきます。この考え方を「人権の内在的制約」といいます。包括的基本権を形づくる憲法12条に「公共の福祉のために」が、13条に「公共の福祉に反しない限り」が盛りこまれている点に、内在的制約の存在を読み取ることができます。

(2) 政策的制約

　憲法22条1項の「公共の福祉に反しない限り」、29条2項の「公共の福祉に適合するやうに」、29条3項の「公共のために用ひる」は、職業選択の自由

や財産権の保障に関わる人権内容で登場してきます。職業選択の自由だからといって、無資格の人が職業として医療行為をしたらどうでしょう。お金持ちの「営業の自由」だからといって駅前商店街の至近距離に大規模な小売店舗（大型スーパーなど）を建設したらどうでしょう。商店街はつぶれてしまいます。つまり、経済的自由を何の規制もなく"なすがままに任せよ"として無制限な自由にしてしまうと、人間らしい生活は維持できず、また生存も望めなくなります。ですから「公共の福祉」、すなわち他者の権利や自由にも配慮し尊重するようにという要請として、国家が政策的に経済的自由に規制をかけていく必要があり、規制的な介入が容認されるのです。これを政策的制約といいます。

人権の本質には内在的制約が、経済的自由（経済的自由権）には内在的制約プラス政策的制約が存在しています。公共の福祉は、ぶつかりあう人権（自由）同士の間を調整するための原理として理解されるものです。公共の福祉を、けっして、国家権力が人権全般に制限の網をかけられる"魔法"ととらえてはいけません。憲法改正の議論のなかで、公共の福祉を「公益及び公の秩序」に変えようという意見もありますが、国家権力に有利な公益や公の秩序にならないかどうか、注意が必要です。

8．国民の三大義務
―国民には、教育を受けさせる義務、勤労の義務、納税の義務があります。平和的な福祉国家や人権尊重社会をつくり持続し発展させていくためです。

1つめは、「教育を受けさせる義務」（26条2項）です。これは親や保護者が子どもに普通教育を受けさせる義務です。義務教育は小学校と中学校です。国や地方公共団体には学校を設置し、教育環境や教育条件を整備する義務があります。ここで注意したいのは、親や保護者の子どもに対する「教育を受けさせる義務」ということで、けっして、子どもが学校に行かなければならない義務ではない、ということです。子どもの側からは「教育を受ける権利」となります。いじめ犯罪や体罰がある学校に対しては、状況が改善されるまで、「その学校以外の場所で教育を受ける権利」に変化します。――場合によっては、犯罪や暴力からの緊急避難としての正当な「欠席権」に転化します。何が何でも学校に行かなければ…といって、人格を否定されるような教育環境によって"生命を落とす"結果を招くことは、断じてあってはなりません。

2つめは、勤労の義務です。勤労（仕事をして収入を得ること）は、人間ら

しい生活を営んでいくためには欠かせません。ですから、社会権としての「勤労の権利」、就労できるような労働環境を整えるように求める権利があるのです。しかし勤労は権利としてだけではなく、義務でもあるのです。「仕事をして収入を得て、経済的に自立している個人」を憲法は第一に予定しています。ですから、働けないとき、どうしても収入がないときに対応して支援する社会保障制度を設けているのです。「働かざる者、食うべからず」は、厳しいですが一面の真理でもあり、それを憲法は「勤労の義務」と規定するのです。

　３つめが、「納税の義務」（30条）です。日本国憲法の構成の「財政」のところでも触れましたが、国が最初から「お金」をもっているわけではありません。財政は、国民の納める租税（税金）があって初めて成り立つものです。納税がなければ、国も地方公共団体も一切、何の活動も展開することができません。ですから「納税の義務」は国民として、きちんと履行しなければなりません。そして、納税の義務を果たしたならば、今度は、税金の使い道を監視するという「納税者の権利」を大きく打ち出していく必要があります。

　なお、憲法には「兵役の義務」（徴兵制度）はありません。憲法の基本原理である平和主義、また基本的人権の尊重――新しい人権としての平和的生存権――が、これを明確に否定しているのです。

　「教育を受けさせる義務」（教育を受ける権利）のなかで、十分な教育を受け、勤労に必要な知識や能力、技術を身につけ（資格や条件を習得して）、実際に就職し「勤労の義務」を果たしながら、収入や財産に応じた税金を納め（「納税の義務」）、その税金からつくられる財政によって、平和福祉国家や人権の尊重される社会が形成され維持・発展されるべきこと――日本国憲法はこうした国家・社会像をめざしているのです。ですから、当然のことですが、ここに兵役の義務（徴兵制度）が入りこむ余地は、まったくありません。

参考図書

- 片居木英人「人権としての家族・家庭」片居木英人／植木信一編著『家庭支援と人権の福祉』大学図書出版、2008、8〜27ページ
- 山脇直司『社会とどうかかわるか—公共哲学からのヒント—』(岩波ジュニア新書)、岩波書店、2008
- 藤井誠二／武富健治『「悪いこと」、したらどうなるの？』(理論社 YA 新書)、理論社、2008
- 湯浅誠『どんとこい、貧困！』(理論社 YA 新書)、理論社、2009
- 立石真也／尾藤廣喜／岡本厚『生存権—いまを生きるあなたへ』同成社、2009
- 坂本敏夫『死刑と無期懲役』(ちくま新書)、筑摩書房、2010
- 暉峻淑子／宇都宮健児／阿部彩／篠藤明徳『不安社会を変える—希望はつながる市民力』かもがわ出版、2013
- 大山典宏『生活保護 vs 子どもの貧困』(PHP 新書)、PHP 研究所、2013
- 片居木英人「子どもの権利保障の歴史的展開とその意義」植木信一編著『児童家庭福祉〔新版〕』北大路書房、2014、19〜38ページ
- 片居木英人『現代の社会福祉をめぐる人権と法』法律情報出版、2015
- 伊藤周平『消費税が社会保障を破壊する』(角川新書)、KADOKAWA、2016

第5章 日本国憲法の精神と環境権

―「新しい人権」の一つである環境権は、様々な人権の基盤となりうる重要な権利です。福島第一原子力発電所の事故も踏まえて考えてみましょう―

1．平和と環境

（1） 戦争放棄と平和的生存権

　人が人として生きていく上で、尊厳が大切であることは言うまでもありません。そのために日本国憲法は、人権保障の規定を数多く設けています。

　しかし、現代の社会では、こうした人権が尊重される社会の基盤となるものが危うくなってきています。

　そのうちの一つは、平和の問題です。それに対応するために、日本国憲法では、第9条において「戦争の放棄」と「戦力の不保持」を定めるとともに、前文で「平和的生存権」を定めました。恐怖と欠乏から免れ、人権が保障される社会になるためには、その基盤として「平和」が大切であり、平和のうちに生存することは権利であると認識されるに至ったのです。

（2） 様々な人権保障と良好な環境

　平和と同様に、人が人として生きる上で大切なものとして、「良好な環境」もあります。特に第二次世界大戦後、各地で公害による健康被害や環境破壊が生じ、また、地球温暖化などの地球環境問題が深刻化しました。このような状況となり、良好な環境を享受することが、平穏な生活を送る上で重要であることが広く理解されるようになったのです。そして、良好な環境を享受することも権利であると考える人々が増えてきました。

　このように、一人ひとりの、様々な人権が保障される大前提として、平和と良好な環境があるのです。

2．公害問題と地球環境問題

（1） 四大公害

　公害が発生し、環境が破壊される。このようなことは古くからありました。明治時代の足尾鉱毒事件では、銅山から流れる有害な廃液によって農業や漁業が大きな被害を受け、農民たちが鉱山所有者等と対立し、官憲と衝突したことがあります。

　1960年代に入ると、高度経済成長の負の側面として、日本各地で様々な公害問題が顕在化しました。

　工場の排水中の水銀による水俣病（熊本県、新潟県）。工場排水中のカドミウムによるイタイイタイ病（富山県）。石油コンビナートでの大気汚染による四日市喘息（三重県）。これらを総称して「四大公害」といいます。どの公害病も、多くの地域住民の命や健康を奪いました。

（2） 公害問題と自然環境問題のいま

　その後、公害を規制する環境関連法の制定・改正が相次ぎ、かつてのような大規模な公害は少なくなりました。それを「公害は終わった」と表現する人もいますが、公害問題は決して終わったわけではありません。現在でも、かつての公害によって後遺症に苦しむ人々がいます。法規制が緩めば再び問題が顕在化するかもしれません。アスベスト（石綿）や後述する放射能など現在進行形の公害問題もあります。

　また、大規模な開発により、海や川、森などの自然環境が次々に破壊されていきました。例えば、工場立地などのために海は埋め立てられ、現在では、日本本土の海岸線の半分以上が自然ではなくなってしまい、コンクリートの直立護岸などになっています。生物多様性が失われてきたのです。

（3） 深刻化する地球環境問題

　地球環境問題も深刻化しています。世界人口が増え続け、人間の経済活動による地球環境への過度の負荷となっています。

　化石燃料の使用によって二酸化炭素などの温室効果ガスが増え、地球が温暖化しています。世界平均地上気温は、1880年から2012年の間に0.85℃上昇しています。

2016年11月、2020年からの国際的な温暖化対策の枠組みとなる「パリ協定」が発効しました。世界全体の平均気温の上昇を2度より十分下方に抑え、また1.5度に抑える努力を追求することを定めています。そのために今世紀後半には人為的な温室効果ガス排出の実質ゼロを目指すというものであり、各国はそのための対策提示と取組みが求められています。

しかし、現状では、各国の取組みを積み上げても「2度目標」を達成することはできそうもなく、更なる取組み強化が求められています。

生物多様性の損失も大きな問題です。生物多様性とは、①生態系の多様性、②種の多様性、③遺伝子の多様性という3つのレベルがあり、生物学者の岸由二氏は生物多様性を「生き物たちの賑わい」と表現しています。生物多様性条約では、その保全の必要性が確認されています。

こうした生物多様性が現在、危機に瀕しています。地球の歴史において、過去に大量絶滅のあった時代が5回あると言われていますが、現在の人間の経済活動による生物の大量絶滅を踏まえて、「第6の大量絶滅時代」と言われることもあるほどです。

3．環境権とは

日本では、高度経済成長時代に全国各地で公害問題が多発した頃から、弁護士や研究者が、人々には「環境権」があり、それを侵害する工場の操業や大規模な開発等を裁判で差し止めることができると主張するようになりました。この「環境権」とは、「現在と将来の世代が良好な環境を享受する権利」と定義づけることができます。

日本の裁判所は、環境権を根拠に工場操業等の差し止めを認めたことはありません。また、環境権を明文で認めている法令も、日本にはありません。しかし、学説上では、環境権が憲法上の権利であることが広く認められています。

日本国憲法13条は幸福追求権を定め、個人の尊厳を確認するとともに、生命や幸福追求への権利があることを認めています。また、25条は生存権を定め、健康で文化的な最低限度の生活を営む権利があることを確認するとともに、国に対して、すべての生活部面について、公衆衛生等の増進に努めることを求めています。

大気が汚染され、河川が汚濁し、騒音や悪臭に悩まされ続ける中で、これら

幸福追求権や生存権が保障されることは考えにくいでしょう。環境権は、人々の基本的な権利である幸福追求権や生存権の大前提の権利として構成されるものなのです。

環境権をめぐる議論の中には、望まれる環境が個々人によって異なる現実を踏まえて、どのような環境がよいのかを議論する機会を保障するという意味での環境権（行政への市民参加を要求する権利）が必要だという見解もあります。また、議論するためには必要な情報を入手できることが重要であり、その手続の保障も求められることになります。

海外では、フランスやスペインなどが憲法等に環境権を明記しています。

4．福島第一原子力発電所事故と放射能問題

（1）　事故の概要

2011年3月11日の東日本大震災により東京電力福島第一原子力発電所が津波で破損し、大量の放射性物質が放出されてしまいました。

放出された放射性物質は風に乗り、福島県や関東地方、東北地方の一部などを広範囲に汚染していきました。特に福島県の浜通りや飯舘村などの放射線量は高く、年間で20ミリシーベルト以上の被曝をする地域が警戒区域などに指定され、避難指示が出されました。

一方、地域全体で20ミリシーベルトに達していない地域でも、局所的にその値を超える区域もありました。そもそも、平常時における一般市民の追加被曝線量限度は、年間1ミリシーベルトとされています。こうしたところでは、特に子どもを持つ親たちが不安を抱き、自主的に非難する住民も少なからずいました。福島県によれば、県内または県外へ避難した人々は、最大約15万9,000人に達しました。

（2）　新たな基準と不信感

事故直後、放射性物質の拡散を予測する情報を国は把握していたにもかかわらず、公表されないまま、後になってその存在が明るみになる事件が起きました。「放射線量が高いことを知っていれば、そのとき子どもを外で遊ばせるようなことはしなかった」などと未だに後悔している親も少なくありません。

放射能の基準値の設定を巡っては、さらに大きな混乱が起きました。例えば、

2011年4月には、福島県内の子どもたちが校庭を利用してよいという基準を毎時3.8マイクロシーベルトにしようとしました。この値は、年間に換算すると、20ミリシーベルトにもなるものです。子どもは、大人と比べて放射能の悪影響を受けやすく、大人よりも厳格に適用されるべきものですが、年20ミリシーベルトとは、平常時での原発作業者の被曝限度とされる値です。

　この基準値発表に対して、内閣官房参与の原子力専門家が涙ながらにその不当性を訴えて辞任する事態も生じ、多くの母親たちなどの強い反対が出て、同年8月に、政府はこの基準を事実上撤回するに至りました。

　この他にも、食品や廃棄物の基準値についても、事故後に、条件等の違いはあるにせよ、従来とは異なる基準値の変更・追加が行われ、少なくない市民の間で「国の基準は信頼できないのではないか」と不信感を抱かせることになりました。

　原発事故で放出された放射性物質が健康にどのような影響を与えるかについては様々な見解があります。政府は今回の事故による健康への悪影響は考えづらいことを示す一方、『国会事故調・報告書』（2012年）では、低線量被曝の健康影響については専門家間で意見が割れていることや国の規制値が高いことを訴える見解があることを示しています。

（3）　原発事故・放射能問題と憲法

　今回の原発事故・放射能問題について、憲法の諸人権を見ながら問題点を整理してみましょう。

　まず、前述した環境権から考えてみると、事故によって住み慣れた地域（良好な環境）から離れることを余儀なくされた状況は、まさに人権侵害であると言わざるをえません。

　環境権を「行政への市民参加を要求する権利」と捉える見解からすれば、今回の事故で見られた情報の非開示の問題性が浮かび上がってきます。

　2001年に発効したオーフス条約という国際条約があります（日本は非加盟）。正式名称は、「環境に関する情報へのアクセス、意思決定への公衆参加および司法へのアクセスに関する条約」です。環境権を認めるとともに、情報へのアクセス、市民参加、司法救済も幅広く認めています。

　環境権以外の人権から考えることもできます。例えば、憲法13条の幸福追求権とともに、「何人も、公共の福祉に反しない限り、居住、移転及び職業選

択の自由を有する。」という憲法22条の規定を読みながら、今回の事故について考えてみれば、同じ場所に住み続けながら幸せを求める権利を事故は奪ってしまったのです。

憲法25条の生存権からも考えられます。事故で避難を余儀なくされた人々が果たして「健康で文化的な最低限度の生活」を営んでいるのでしょうか。住み続けていた場所をある日突然取り上げられ、先々の生活の保障もはっきりしないまま、「健康で文化的」に生活できるわけがありません。

（4） 原発のリスクと利益　～福井地裁判決

福島第一原発事故をきっかけに、一時期は国内すべての原発の稼働が止まりましたが、その後、徐々に再稼働する動きが活発化し、各地でその差し止めを求める訴訟が提起されました。

2014年5月21日、福井地方裁判所は、関西電力の大飯原発3、4号機の運転の差し止めを命じるという異例の判決を下しました。本事件はその後、2018年7月4日、名古屋高等裁判所金沢支部により、差し止めを認めない判決が出され、地裁判決は取り消されました。しかし、地裁が示した差し止めの理由などには、原発事故と人権を考える上で貴重な論点が含まれています。

福井地裁判決は、差し止めの理由として、憲法13条と25条が根拠となる「人格権」に照らして、福島の事故のような具体的な危険性が大飯原発にもあることを掲げました。

これに対して、リスクがあるからといって利用しないと考えずに、「利益（ベネフィット）」と比較考量しながらその利用について考えるべきという意見が根強くあります。しかし、こうした考え方は、結局は原発を利用すべきという結論を導きやすくなるものです。また、今回の避難状況を見れば、「あの事故が、私たちが許容すべきリスクであっていいはずがない」（2014年6月10日朝日新聞・加戸靖史記者）と、筆者も思います。

福井地裁判決では、原発の再稼働が電力供給の安定性につながるという電力会社の主張に対して、極めて多数の人の生存そのものに関わる権利と電気代が高いか安いかという問題を並べた議論の当否を判断すること自体、法的には許されないと断じています。

5．公害も環境破壊もなく、人も生きものも、にぎやかな社会へ

（1） 人間環境宣言

1972年6月、ストックホルムで開催された国連人間環境会議で「人間環境宣言」が採択されました。そこでは、次の原則が確認されています。

「人は、尊厳と福祉を保つに足る環境で、自由、平等及び十分な生活水準を享受する基本的権利を有するとともに、現在及び将来の世代のため環境を保護し改善する厳粛な責任を負う。」

国際社会でも、良好な環境を享受することが権利であることが確認されているのです。

（2） SDGs のうねりと環境権

近年、「SDGs」（エスディージーズ）の動きが活発化しています。SDGs とは「Sustainable Development Goals（持続可能な開発目標）」の略であり、2015年に国連サミットで採択されたものです。国連加盟国が 2016 年から 2030 年の15 年間に達成すべき 17 のゴール（目標）などから成ります。

17 のゴールとは、貧困の根絶、飢餓の撲滅、健康と福祉の促進、質の高い教育の実現、ジェンダー平等などです。現在、SDGs の達成を目指し、世界各国で様々な取り組みが行われています。日本でも、国だけでなく、NPO や民間企業、自治体などが SDGs に関連した取り組みを活発化させています。

筆者は、SDGs の中で 2 点に注目しています。一つは、SDGs の 17 のゴールのうち、少なくとも 12 が環境に関連していることです。例えば、気候変動への対策、海洋資源の保全、陸域生態系と森林資源の保全などが掲げられています。

もう一つは、SDGs が「誰一人取り残さない（No one will be left behind）」という理念を掲げていることです。「人間の安全保障」の理念を反映したものであり、一人ひとりの生命・人権への共感を感じることができます。

公害もない。環境破壊もない。人も生きものもにぎやかに過ごす。環境権を起点に、そんな社会ができればすばらしいと思うのは、おそらく、筆者だけではないと思います。

参考図書
・畠山武道『考えながら学ぶ環境法』三省堂、2013

第6章　日本国憲法がめざす平和主義

―21世紀は戦争を絶滅させる時代です。9条を活かすことがだいじです―

　9条は、戦争の放棄、戦力である軍隊を持たない（戦力不保持）、戦争は行わない（交戦権の否認）という中身をもち、国民主権、基本的人権の尊重に続く、日本国憲法の三大原則の一つであり、戦後の新生日本を象徴する規定です。なぜ日本国憲法は最大の暴力である戦争を否定する9条をもつに至ったのか、その後の再軍備のなかで、時の権力者たちによりどのように歪められてきたのか、日本が果たすべき平和主義とは何かについて考えていきたいと思います。

1．9条誕生の歴史

(1)　9条は誰がつくったのか

　一切の戦力も軍事的防衛権を放棄するという、世界に類をみない9条はどのようにして誕生したのでしょうか。

　日本国憲法の制定経過のなかで、政党や知識人のグループのさまざまな憲法改正案があったことを本書第2章の「日本国憲法はこうして生まれた」（12ページ～18ページ）で紹介しましたが、このなかにいまの9条の原型となる徹底した平和条項は見当たりません。実は9条の原案はマッカーサー・ノートにありました。「国家の主権的権利としての戦争を廃棄する。日本は、紛争解決のための手段としての戦争、および自己の安全を保持するための手段としての戦争をも放棄する。日本はその防衛と保護を、いまや世界を動かしつつある崇高な理想にゆだねる。日本が陸海空軍をもつ権能は将来も与えられることはなく、交戦権が日本に与えられることもない」と示されていました。

　そしてマッカーサーは、9条の発案者は当時の幣原喜重郎首相であると証言しています。幣原首相は敗戦後の電車内で聞いた国民の叫びに打たれ、「戦争を放棄し、軍備を全廃して、どこまでも民主主義に徹しなければならない」という信念をもち、核時代の戦争に対する唯一の解決策は戦争をなくすことだと考えました。幣原首相の発想を憲法の条文に持ち込んだのはマッカーサーで、

両者の合作で9条の原案がつくられたといってもよいでしょう。

　衆議院憲法改正案特別委員会の芦田均委員長は「改正憲法の最大の特徴は、大胆率直に戦争の放棄を宣言したことであります。これこそ数千万の人命を犠牲とした大戦争を体験して、万人のひとしく翹望（ぎょうぼう）するところであり、世界平和への大道であります。我々はこの理想の旗をかかげて全世界によびかけんとするものであります。そうしてこれこそ、日本が再生する唯一の機会であって、かかる機会を日本国民に与えられたることに対し、私は天地神明に感謝するものであります」と答弁しています。当時の多くの国民が9条について賛成の意思が多数であったことは、毎日新聞の世論調査（1946年5月）の「戦争放棄」に賛成70%、反対28%からもわかります。

　そして、9条が日本国内で大きな抵抗なく誕生した背景には、天皇制を残したためともいわれています。日本の占領政策に関する連合国の最高決定機関として設置された極東委員会のなかに天皇の戦争責任を追及し、日本に天皇制を残すことに消極的な国もありました。しかし天皇制を残したかったマッカーサーは、9条という徹底した平和条項を設けることで、明治憲法下における天皇制と一体化した軍国主義とを切り離し、日本が再びアジアの脅威にならないことを示す必要があったのです。

（2）　戦争放棄を実効させるための自衛のための武力行使の放棄

　戦争放棄は、日本国憲法ではじめて規定されたのではなく、じつは1928年締結の「パリ不戦条約」に戦争放棄の条項がありました。この条約がつくられた契機は、1500万人もの死者を出した第一次世界大戦でした。この条約は、「戦争」を放棄し、国際紛争は平和的手段で解決するとし、アメリカ、イギリス、ドイツ、イタリア、日本も署名し、最終的には63ヵ国が参加しました。しかし戦争はなくなりませんでした。その最大の理由は、この条約が、「国家固有の自衛権」に基づく、自衛のための「戦争」や武力行使を否定していなかったからです。第一次世界大戦からわずか20年、第二次世界大戦がはじまりました。ナチス・ドイツによるポーランドの侵攻（1939年）、満州事変（1931年）、盧溝橋事件（1937年）もすべて自衛のための武力行使でした。自衛のための武力行使を否定しなければ事実上の「戦争」はなくならないのです。

　そこで9条2項はこの歴史的な教訓をふまえつくられました。「戦争」はもちろん、自衛のための武力の行使まで放棄しました。また、戦力と交戦権を持

つことも否認しました。現在の国連憲章では自衛のための武力の行使は否定していないので、世界の最先端をいく条項といえます。

「政府の行為によつて再び戦争の惨禍が起ることのないやうにすることを決意」（憲法前文）とし、第二次世界大戦後、世界の国々のなかでも前例のない徹底した平和主義を定めたのです。「政府の行為」によってひき起こされた日中戦争および太平洋戦争という「戦争の惨禍」への厳しい反省があるからです。広島・長崎への原爆投下、東京大空襲など都市空襲で亡くなった多数の住民、県民の4人に1人が命をおとした沖縄戦、さらに中国や東南アジアの国々で行われた日本軍による大量の人命と財産の破壊。正義の戦争も不正義の戦争も多くの人命をうばうのです。日本国民は主権者として、戦争を二度と繰りかえしてはならないと誓い、9条を定めました。

また「われらは、全世界の国民が、ひとしく恐怖と欠乏から免かれ、平和のうちに生存する権利を有することを確認する」（憲法前文）などを根拠に平和的生存権の根拠を導きだせます。9条に反する国家行為で再び個人の生命や自由が侵害された場合に具体的権利性が認められると考えるのです。

2．日本の再軍備から今日まで

（1） 自衛隊の誕生と戦力の考え方

9条は、誕生してわずか3年後、アメリカからの強い圧力のなかで、なし崩し的に、また公然と歪められていきました。

1950年6月、朝鮮戦争が勃発、日本にいた米占領軍が国連軍として出動し、連合国軍最高司令官マッカーサーの命令で日本の警察力の不足を補うとして、7万5000人の警察予備隊が創設されました。警察予備隊は、機関銃や戦車などの武器を装備していました。警察予備隊は9条2項の戦力に該当するのではとの批判に、政府は「日本の治安の確保のために必要なる力しか持っていない」から戦力にあたらないとしていました。そして1952年に保安隊・警備隊に、1954年に陸・海・空自衛隊へと組織が改編、強化されました。

政府は、①9条があっても自衛権は認められ、自衛のための実力をもつことは許される、②憲法で禁止されている戦力とは、近代戦争遂行能力をもつようなレベルのもので自衛隊の装備はあたらない、③自衛隊は実力ではあるが戦力とまではいえないと、自衛隊は9条2項の戦力にあたらないと説明してきまし

た。しかし、どこまでが実力でどこからが戦力にあたるかはその時々の国際情勢によって変わり、個別に判断するしかないとの政府見解も出され、その判断・評価によっては、強力な装備も認められることになります。じつは、政府は核兵器でも小型のものであれば保有が許されると答弁したこともあります。自衛隊は世界有数の装備と力をもつ組織になっていることから戦力にあたり、違憲であると考える憲法学者も多数います。

（2）　自衛隊の司法判断

　自衛隊が9条で禁止する戦力にあたるのではないかと争われた裁判に「長沼ナイキ訴訟」があります。この訴訟は、当時の防衛庁がミサイル基地を国有保安林に建設するため、農林大臣が保安林の指定解除を「公益上の理由」があるとして行った処分に、基地建設に反対する地元住民が自衛隊は違憲であり、その指定解除は違法であると争った裁判です。1973年9月、第一審判決（札幌地方裁判所、福島重雄裁判長）は、「自衛隊は憲法第9条が禁ずる陸海空軍に該当し違憲である」とし、「世界の各国はいずれも自国の防衛のために軍備を保有するのであって、単に自国の防衛のために必要であるという理由では、それが軍隊ないし戦力であることを否定する根拠にはならない」とする初の自衛隊の違憲判決を出しました。またナイキミサイル基地をつくることで有事の際、相手国の攻撃の第一目標とされるため、憲法前文にいう「平和のうちに生存する権利」（平和的生存権）を侵害されるおそれがあると判断、平和的生存権は、「国民一人ひとりが平和のうちに生存し、かつその幸福を追求することができる権利」と明確に判示しました。しかし、国側の控訴による札幌高等裁判所での控訴審判決は、原告の請求を棄却し、自衛隊の違憲性について「本来は裁判の対象となり得るが、高度に政治性のある国家行為は、極めて明白に違憲無効であると認められない限り、司法審査の範囲外にある」とする統治行為論を述べました。この統治行為論とは、「自衛隊の存在は、国民（国会）が決めるべきであり、憲法違反というよっぽどのことがない限り裁判所は司法判断できません」とするものです。第一審では違憲判決が出されたのに、控訴審では裁判所は自衛隊の存在を容易に判断できないとしたのです。最高裁まで争われましたが、住民に訴えの利益がないと上告を棄却。自衛隊の憲法判断を回避しました。その後も自衛隊の組織が憲法違反としたのは唯一、長沼ナイキ訴訟第一審判決だけで、合憲判決は一つも出されていません。

（3） 国際貢献と集団的自衛権

　自衛隊は、設立当初より9条の制約を受け、攻撃を受けたときにのみ実力を行使して、自国を防衛するという専守防衛を基本としてきました。しかし、「金だけ出すのではなく、血も流せ」というアメリカ側の要求もあり、1991年に初めて掃海部隊の自衛隊ペルシャ湾派兵が行われ、その後インド洋派兵、イラク派兵と続きました。直接の武力行使を目的とせず、復興支援、地雷・機雷などの除去、災害救助、アメリカ軍の後方支援などの任務を建前としていました。しかしイラク派兵で、航空自衛隊は武装したアメリカ兵を戦闘地域に空輸していたことが判明しました。自衛隊のイラク派兵が憲法違反であることの確認などを求めた訴訟「自衛隊イラク派兵差止訴訟」において、2008年4月、名古屋高等裁判所は、航空自衛隊の武装した兵員の空輸活動について、「他国による武力行使と一体化した行動であって、自らも武力の行使を行ったとの評価を受けざるを得ない行動である」「現在イラクにおいて行われている航空自衛隊の空輸活動は、政府と同じ憲法解釈に立ち、イラク特措法を合憲とした場合であっても、武力行使を禁止したイラク特措法2条2項、活動地域を非戦闘地域に限定した同条3項に違反し、かつ、憲法9条1項に違反する活動を含んでいることが認められる」として、違憲判断を下しました。高等裁判所において、自衛隊が行っている活動について9条1項違反が認められたのは日本国憲法制定後初めてのことであり、歴史的な意義を有する画期的な判決となりました。

　自衛隊の海外派兵は、人道復興支援という建前から、武力行使（威嚇）を禁止し、武器使用にも警察的な制約をかけ、非戦闘地域に限定しています。軍隊なのに軍隊でない中途半端なありようが、自衛隊員に犠牲者を出さなかったともいえます。これは9条による歯止めであり、自衛隊が海外で誰ひとりの人命もうばうこともなく、そして隊員の人命が失われることもなかったのです。

　自衛隊創設60年目となる2014年7月1日、安倍政権は、これまでの憲法解釈を変更して、集団的自衛権行使を容認する閣議決定を行いました。この集団的自衛権とは、日本が直接侵略されていないのに、軍事同盟国に武力行使がされた場合、共同で戦争行為に参加する行為です。この集団的自衛権の行使はアメリカのかねてからの要求で、自衛権の発動要件を「我が国に対する武力攻撃が発生した」場合に限らず、「我が国と密接な関係にある他国に対する武力攻撃が発生し、これにより我が国の存立が脅かされ、国民の生命、自由及び幸福追求の権利が根底から覆される明白な危険がある」場合も加えました。この「明

白な危険」の有無は時々の政権が判断するので、何ら歯止めにもなっていません。これによって、日本が武力攻撃を受けていないにもかかわらず、アメリカが介入する地球上の紛争地に自衛隊を派兵し、武力を行使することになります。これまでの憲法解釈では絶対に認められなかったことが、密室での与党協議そして閣議決定だけで容認されてしまうのです。憲法で違憲とされるものを解釈で合憲とする解釈改憲は、立憲主義や９条に違反します。

そして、集団的自衛権の行使を容認する安全保障関連法案は、2015年９月19日に強行可決成立し、翌年の３月29日に施行されました。

集団的自衛権の行使で、自衛隊は日本を侵略から守る組織ではなくなるのです。もしそうなった時の、日の丸にくるまれた戦死者の柩（ひつぎ）が羽田空港に到着する光景を想像してみてください。戦地に送られるのは若い世代であり、その若い世代の人たちが日本の果たすべき真の国際貢献はどのようなものなのかぜひ考えてみてください。

（４）　日米安全保障条約と憲法、沖縄

９条の平和主義は、自衛隊の誕生とともに、日米安全保障条約（以下、安保条約あるいは条約と略します）によって大きく歪められてきました。この条約は1951年、日本の主権回復と戦争状態の終結のために締結されたサンフランシスコ講和条約と同時に、アメリカと締結されました。今の安保条約は51年に調印された旧安保条約が1960年に改定されたものです。この改定をめぐって、「安保闘争」といわれる国民の大きな反対運動がありました。それは多くの国民が、在日米軍は９条で禁じられている戦力にあたり、アメリカの引き起こす戦争に日本が巻き込まれる可能性が高いのでは、と感じていたからです。安保条約による在日米軍の違憲性が争われた「砂川事件」――東京都北多摩郡砂川町（現在の立川市）で、在日米軍基地拡張に反対するデモ隊の一部が基地内に入って起訴された事件――において、1959年３月、東京地方裁判所の第一審判決（伊達秋男裁判長）は「９条２項前段で禁止される戦力の保持にあたり、違憲」と明確に述べました。その後の最高裁判決では「統治行為論」を採用し、違憲判断は行いませんでした。その後、この条約は1960年に改定され、日米共同作戦条項（条約５条）、米軍への基地提供（条約６条）、日本の軍備増強義務（条約３条）などの規定が盛り込まれ、ますます９条の精神とかけはなれた内容になっています。

安保条約があるからこそ、日本に何かあったときアメリカが日本を守ってくれるものと思っておられる方も多いと思います。しかし、条約5条は、「各締約国は、日本国の施政の下にある領域における、いずれか一方に対する武力攻撃が自国の平和及び安全を危うくするものであることを認め、自国の憲法上の規定及び手続に従って共通の危険に対処するように行動することを宣言する」としており、アメリカに日本を守る義務を課しているわけではありません。

　在日米軍基地と米兵の特権的地位を定めている日米地位協定は、「公務中」の事件・事故は米側に第一次裁判権（優先的な裁判権）があると規定し、容疑者の身がら引き渡しの制限や、日本側の裁判権を放棄する内容の"密約"の存在も明らかになっています。また地位協定の規定を超えた"特権"もあります。それが「思いやり」予算（在日米軍駐留経費負担）です。日米地位協定は在日米軍の駐留経費はすべて米側が負担すると規定しており、日本側に負担義務はありません。ところが、日本政府は1978年度から米軍駐留経費を負担しつづけています。基地従業員の人件費、光熱費、基地内の建設費など、1893億円（2016～2020年度平均［見込み］）を「思いやり予算」で支出し、また地代や周辺の防音工事、自治体への補助金、無償提供中の国有地の推定地代を含めると日本の負担は年間8022億円にものぼり（2018年度）、現在の日本の財政事情から考えるときわめて"異常な"状態といえます。

　また、沖縄には在日米軍基地の70％が集中しています。危険と隣合わせの生活に基地の縮小・撤去との沖縄県民の声は切実な要求です。日本の総理大臣は沖縄県民に基地負担を求めるのではなく、アメリカ大統領に基地の縮小・撤去を説得するのが日本の政治の姿です。

　そして憲法制定の過程のなかで、沖縄にかかわる重い事実があります。新憲法を議論した第90回帝国議会には、沖縄県選出の議員は一人もいませんでした。衆議院選挙法の改正で、アメリカ軍政下にあった沖縄県民の選挙権を停止されてしまったからです。新憲法の審議に沖縄の声が届いていたら、戦争の実相と基地化の現実を踏まえた9条の深い議論ができたのではないでしょうか。

　日本は本来、どの国とも対等な関係を築くべきですが、安保条約によってアメリカへの"従属"を強いられています。国の最高法規である憲法が、安保条約により歪められている現状があります。自然環境を破壊する沖縄の辺野古沖への米軍基地移転問題、米兵による暴行事件など、日本政府と在日米軍は一体、「何から、誰を」守ろうとしているのでしょうか。

3．軍隊をもつことの意味

(1) 軍隊は万能なのか

　軍隊を持てば、本来対話で解決すべき外交問題に軍事的な選択肢がでてきてしまいます。軍隊は自分たちの存在意義を主張するために、膨張しようとします。かつての旧日本軍のように政治を掌握し、独走していく可能性もあります。これは軍隊という力の本質的な特徴です。

　また、軍隊をもつことで本当に日本の独立と平和が守れるでしょうか。世界最強の軍事力をほこるアメリカで、2001年9月11日、航空機を使った同時多発テロが起こりました。軍備を拡張してもどれだけ有効なものなのか、「軍隊神話」を考えさせられる事件でした。

　特に現在の日本は、食糧や石油など外国からの輸入に依存する自給率の低い国です。このような現状で一旦戦争がおこれば、食糧も石油も輸入できず経済的な大パニックとなり、国民の生活は一瞬に壊されてしまいます。輸入による日本が、アジア諸国にどれだけ経済的な恩恵を受けているのかは製品の製造国をみれば明らかです。また、日本列島には50基を超える原子力発電所があります。冷却機能が喪失したら取り返しのつかない事態になることは記憶に新しいところです。軍隊をもてばその緊張はさらに大きくなるでしょう。

　また軍隊をもてば、徴兵制になることも覚悟しなければなりません。徴兵制とは、国家が国民に「兵役に服する義務」を課す制度です。男女共同参画を理由に女性も徴兵され、戦地に赴くことになります。これまで自衛隊では、戦車や戦闘機、潜水艦に女性自衛官を搭乗させることは、「近接戦闘の可能性」「男女間のプライバシー保護」を理由に制限する配置がされていましたが、「母性の保護」の観点から女性を配置できない部隊を除き、この配置制限も男女共同参画を理由に全面的に解除されました。またノルウェーでは2015年に女性の徴兵制が始まりました。徴兵制が開始されると、女性だから自分は軍隊には関係ないとはいえない時代になるのです。

(2) 憲法に自衛隊を明文化させることの意味

　安倍政権の下、9条1項、2項を残し、9条の2として、自衛隊を憲法に明記する9条改憲案が論議されています。自衛隊は誕生から今日まで、「憲法に書かれざる組織」として、「軍隊ではない」、「戦力ではない」、「専守防衛のた

めの組織」などその活動は憲法で縛られてきました。しかし、後に自衛隊を憲法に明記することは、「後法は前法を破る」という法律の原則の下、9条に戦争放棄、戦力不保持、交戦権の否認があるものの、後で追加された自衛隊の規定が優先し、これまで憲法による歯止めがされていた自衛隊の組織は一変します。集団的自衛権の行使が憲法上認められる政府見解によれば、自衛隊の海外での活動が拡大し、9条の平和主義の趣旨が大きく後退する結果になります。

4．9条をどう活かすのか

(1) 日本をどう守るのか

　日本が他国から侵略されないという可能性はまったくゼロでないかもしれませんが、はたしてその確率は本当に高いでしょうか。また個人同士での争いや喧嘩、正当防衛の考え方を、単純に国家間の紛争に持ち込むことは論理飛躍です。日本に軍隊があれば国民の身体や財産、安全を守ってくれると考える方は多いと思いますが、自衛隊の任務も、「我が国の平和と独立を守り、国の安全を保つ」（自衛隊法3条）ことであり、外国が攻めてきたときに優先して守るものは、国であり、国民の生命や財産ではありません。この考えは軍事の常識です。国を守るために、国民個人の生命や財産に危険や危害が及んでもやむを得ないと考えるのです（陣地構築のために民家を取り壊すことなど）。国民の生命や財産を守るための組織は警察や消防であると主張し、軍隊の本質的な使命はそこにはありません。そして今、福島第一原子力発電所事故で福島県民をはじめ多くの国民を苦しめている放射能汚染は、たとえ軍隊があっても収束できないものなのです。

　安全保障は武力による均衡ではなく、強い外交力、経済的な互恵関係をつくることで実現できます。すでに医療や教育、留学による交流、技術提携など日本はさまざまな場面で非軍事面での国際貢献の実績を積み重ねています。積極的な多国との交流、貧困や格差を縮小させる取り組みなどがすすめば、日本が軍事的な標的になる確率は低くなるでしょう。一番大切なことは、そもそも紛争が起きないようにすることであり、そのためには武力より知力を磨き、あらゆる有効な手立てを考えることが重要です。

　日本はこれまで軍事力を行使しないことで世界に敵をつくってきませんでした。非軍事面での国際貢献をする恩人が日本人であるという日本のブランド力

を忘れてはならないと考えます。

（2）　自衛隊をどうするか

　自衛隊がすでに事実として存在し、国民の多くが日本を守る組織としてその存在を肯定しています。自衛隊の災害派遣（自衛隊法83条）による復旧活動も存在を認める大きな理由になっています。

　日本において、国民の生命・身体・安全・財産を現実に侵害しているのは、台風や水害、そして地震という自然災害です。この自然災害から国民を守ることが国の責任です。これまでの災害派遣におけるノウハウを活かし、国民のコンセンサスを得ながら、災害救助等を主たる任務とする組織に自衛隊を改編していくことが提案できるでしょう。たとえば、災害復旧省のもとに災害救助隊として組織を改編し、日本国内でおきた災害にとどまらず、世界で生じた災害に対しても出動し、救助活動を行うことが展望できます。こうした災害救助隊による世界での活動こそ、「国際社会において、名誉ある地位を占めたいと思ふ」（憲法前文）の意味であり、日本が世界で堂々とできる国際貢献であると考えます。このような国が他国から武力行使を受けるようなことはかぎりなくゼロに近いといえます。

　憲法制定当時に、9条の発案者であるといわれる幣原喜重郎の国会での発言の重みはいまの時代においてもなお問われ続けています。
　「戦争と文明とは結局両立しえないものでありましょう。文明が速やかに戦争を全滅させなければ、戦争が必ず文明を全滅することになるでしょう。」
　いま、私たちは、戦争を絶滅させる時代に生きています。そしてその戦争を絶滅させるために9条があり、9条をどう活かすかは、私たち一人ひとりの力にかかわっています。

参考図書
・小林直樹『憲法第九条』（岩波新書）、岩波書店、1982
・杉原泰雄『平和憲法』（岩波新書）、岩波書店、1987
・高橋哲哉／斎藤貴男編　『憲法が変わっても戦争にならない？』（ちくま文庫）、筑摩書房、2013

第7章 国民主権とは

―私たち国民が国の政治のあり方を最終的に決定する力をもっています―

　自分のことは自分で決める、自分にとって大切なことを他人の命令で決めさせられるのであれば、奴隷や家来とかわりません。同じことは国の政治についてもいえます。日本という国をつくっているのは私たち国民です。日本をどうするのかという重要な問題は、国民みんなで決めることができなければなりません。国の政治については国民全体が主人公であり、これが国民主権（主権在民）です。日本国憲法の三大原則の一つです。別ないい方をすれば、国民主権とは、国家権力は国民に由来するという原理であり、国政のあり方を最終的に決定する権力や権威は国民に存することをいいます。国の政治のあり方を最終的に決める力は国民にあるのです。

　国民主権原理は、絶対主義時代の君主制に対し、国民こそが政治の主役だという理論的な柱として主張されてきました。そして近代市民革命以降、近代立憲主義憲法において広く採用されてきました。

　そんな話を聞くと、「国の政治のあり方を決定する力が私にもあるなんてとても荷が重すぎる」「私ひとりが選挙に行ったところで…」と思われる方がおられるかもしれません。しかし、自分の身近な生活やくらしには国民主権が大きくかかわっています。このことをこの章で考えてみましょう。

1．主権の意味

　国民主権を考える前に、この主権そのものの中身を押さえてみます。一般に主権には、①国家権力そのもの（国家の統治権）、②最高独立性、③最高決定権という三つの意味があります。

　国家権力とは国家の有する支配権をいい、41条の「国権」がそれにあたります。国の統治の権能を総称する統治権とほぼ同じ意味です。最高独立性は国家の主権性ともいわれ、前文第3段の「自国の主権を維持し」が意味するもの

です。最高決定権は、国の政治のあり方を最終的に決定する権力または権威という意味で、君主にある場合を君主主権、国民にある場合を国民主権と呼びます。「ここに主権が国民に存することを宣言し」（前文1段）、「主権の存する日本国民の総意に基く」（1条）と規定され、日本国は国民主権であることが明らかです。

2．国民主権の内容

　国民主権とは、最高決定権を意味し、「国の政治のあり方を最終的に決定する権力または権威」を意味します。ここで一つの考え方として、国民とは、選挙権のない赤ちゃんや未成年者も含め、国家の構成員として国籍をもつものあるいはその集まりという意味ではなく、「政治に参加できる年齢に達した成年の集まりとしての人民である」というとらえ方があります。この考え方によると、人民が主権者であるからこそ、公務員の選定・罷免権（15条1項）、憲法改正の国民投票（96条1項）が認められる、とするのです。日本国憲法の前文は、国民主権原理を「そもそも国政は、国民の厳粛な信託によるものであって、その権威は国民に由来し、その権力は国民の代表者がこれを行使し、その福利は国民がこれを享受する」と表現しています。本書20ページですでに述べられていますが、改めて、これはアメリカのリンカーンがゲティスバーグで行った演説「人民の人民による人民のための政治」に重なります。「権威は国民に由来」するとは「人民の」、「その権力は国民の代表者がこれを行使」するとは「人民による」、「その福利は国民がこれを享受」するとは、「人民のための」政治ということです。日本国憲法の起草者がリンカーンの演説を念頭に作成したことが想像できます。

3．明治憲法下の天皇主権

　日本において国民主権は、戦後、はじめて導入されました。戦前の明治憲法下では、国民主権ではなく、天皇主権でした。明治憲法1条では、「大日本帝国は万世一系の天皇之を統治す」とし、また4条で「天皇は国の元首にして統治権を総攬し」と定めて、天皇を主権者としています。天皇は神さまの子孫であり、日本を支配するのは神さまから授けられたもの、日本国民は天皇の「臣

民」であり、君主に支配される者と位置づけられていました。

天皇主権は、天皇中心の統治体系を形づくっていました。天皇は、帝国議会の協賛の下に立法を行い、国務大臣の輔弼を受けて行政権を行使し、司法権もまた天皇の名において裁判所がこれを行うものとされました。さらに天皇は緊急の必要がある場合、法律に代わるべき勅令（緊急勅令8条）、公共の安寧秩序を保持しおよび臣民の幸福を増進するために必要なる命令（独立命令9条）を制定することができました。また軍の統帥、戒厳の宣告などは帝国議会の審議がいらない天皇大権とされていました。

「居住・移転の自由」（22条）、「所有権の保障」（27条）、「言論・出版・集会・結社の自由」（29条）などの基本的人権も、天皇が臣民に対して恩恵的に与えたものであり、「法律の範囲内において」のみ認められたものでした。そのように人権が軽んぜられるなか、しだいに戦争へと突き進んでいったのです。

4．日本国憲法下の象徴天皇制

日本国憲法は国民主権原理を採用し、天皇制は残しましたが、明治憲法の天皇制とは大きく質的に異なっています。

明治憲法下では天皇の地位は神勅に基づくとされていましたが、日本国憲法においては「主権の存する日本国民の総意に基く」（1条）とされ、国民の総意により天皇制を置くか置かないか決められるようになりました。

天皇は、「日本国の象徴であり日本国民統合の象徴」（1条）とし、象徴以外の役割を果たしてはならない非政治的な存在とされました。「この憲法の定める国事に関する行為のみを行ひ、国政に関する権能を有しない」（4条1項）、そしてこの国事行為には内閣の助言と承認が必要とされています（3条）。国事行為は、「国会の指名に基いて、内閣総理大臣を任命する」（6条1項）、「国会を召集すること」（7条2号）など形式的儀礼的なもので、天皇は権力の行使は認められていません。

なお天皇は象徴であり、元首ではありません。元首とは国の頭であり、国内で行政権を担当し、外国との関係では一国を代表して外交関係を処理する地位にあることをいいます。日本の元首は内閣または内閣総理大臣がこの地位にあります。

天皇の生前退位について、2017年6月に「天皇の退位等に関する皇室典範

特例法」が成立し、立法的解決が行われました。

5．憲法施行時に国が普及しようとした国民主権の考え方

　1947（昭和22）年8月、当時の文部省が発行した中学1年生向けの社会科の教科書『あたらしい憲法のはなし』は国民主権について以下のように記述しています（引用にあたり、一部現代かなづかいの表記に改めています）。

　みなさんがあつまって、だれがいちばんえらいかをきめてごらんなさい。いったい「いちばんえらい」というのは、どういうことでしょうか。勉強のよくできることでしょうか。それとも力の強いことでしょうか。いろいろきめかたがあってむずかしいことです。
　国では、だれが「いちばんえらい」といえるでしょうか。もし国の仕事が、ひとりの考えできまるならば、その一人が、いちばんえらいといわなければなりません。もしおおぜいの考えできまるなら、そのおおぜいが、みないちばんえらいことになります。もし国民ぜんたいの考えできまるのならば、国民ぜんたいがいちばんえらいのです。こんどの憲法は、民主主義の憲法ですから、国民ぜんたいの考えで国をおさめてゆきます。そうすると、国民ぜんたいがいちばん、えらいといわなければなりません。
　国を治めていく力のことを「主権」といいますが、この力が国民全体にあれば、これを「主権は国民にある」といいます。こんどの憲法は、いま申しましたように、民主主義を根本の考えとしていますから、主権は、とうぜん日本国民にあるわけです。そこで前文の中にも、また憲法の第1条にも、「主権が国民に存する」とはっきりかいてあるのです。主権が国民にあることを「主権在民」といいます。あたらしい憲法は、主権在民という考えでできていますから、主権在民主義の憲法であるということになるのです。
　みなさんは、日本国民の一人です。主権をもっている国民のひとりです。しかし、主権は国民全体にあるのです。一人ひとりが、べつべつに、もっているのではありません。一人ひとりが、みなじぶんがいちばんえらいと思って勝手なことをしてもよいということでは、けっしてありません。それは民主主義にあわないことになります。みなさんは主権をもっている日本国民の一人であるということに、ほこりをもつとともに、責任を感じなければなりません。

いかがですか、日本国憲法の誕生をうけ、戦前の天皇主権から国民主権に制度を180度転換させるために、国が教育を通じて、日本社会に国民主権を根づかせようとしていたことがわかります。

6．国民主権原理と選挙制度

　国民主権を実現するには、国民の意思が議会の構成に正確に反映できる選挙制度が必要です。この条件が満たされないと、議会を通じて国民の意思が表明されてきません。政治のあり方を最終的に決める力は、議会での議席配分によって決められます。そこで普通選挙・平等選挙・自由選挙・秘密選挙・直接選挙の原則を日本国憲法は定めています（15条3・4項、44条）。

　現在、日本の選挙制度は衆議院では小選挙区比例代表並立制、参議院では大選挙区・小選挙区非拘束名簿式比例代表並立制が導入されています。小選挙区制は政局の安定や区域が狭くなり、選挙費用の節約となるとの理由から衆議院選挙の選挙制度に1994年から導入されました。しかし小選挙区制は1人の議員を選出するため、2位以下の票は死票となり、民意が適正に反映されず制度的な欠陥として指摘されており、また3割程度の得票で8割近くの議席を占めるマジックのような選挙制度です。1票の価値が2倍を超える小選挙区の区割りは違憲であるとの裁判所の判決も出されています。「日本国民は、正当に選挙された国会における代表者を通じて行動」（前文）とあるように、その選挙結果も「正当」でなければなりません。選挙制度は、民意の正確な反映という意味で国民主権原理に直結する重要な制度です。小選挙区制にかわる抜本的な選挙制度改革が必要です。

7．主権者として私たちに何が求められているのか

　国民主権は、選挙による投票によって決められるものです。しかしながら日本の投票率は決して高くはありません。「政治に興味がない」「忙しくて行けない」「誰がやっても同じ」など選挙に行かない、棄権する有権者が多いことが投票率の低さの原因です。もちろん選挙は強制されるものではなく、棄権することも認められています。しかし、政治は投票結果で大きく動くのです。選挙を棄権することは時の政府の政策に対する「沈黙による承認」「消極的支持」を与えることに結果的につながります。

　国民が主権者であるということは、投票で意思表示をするということです。政治におかしなことがあれば、よく考えて行動することです。社会にはさまざまな階層や考え方、立場があり、それは当然のことです。それぞれの立場から「そのことはぜひ実行してほしい」「そのことは私には受けいれられない」などはっきりと意思表示をすることがだいじです。問題発言を繰り返すような政治家を議会から"引きずり下ろす"力を私たちはもっているのです。それは微力かもしれませんが、けっして無力ではありません。そして私たちが本当に国の政治の主人公となるには、権力者をつねに監視することも重要なことです。主権者として政治の判断基準になるのが、いままさにこの本で学習されている憲法であることをぜひおさえてほしいと思います。

8．主権者として、国民として

　この章の最後に、こんな歴史を紹介したいと思います。1959年、青森県八戸市でポリオ（脊髄性小児マヒ）が多発しました。感染は北海道、石川、富山などに波及し、患者の数が5000人を超え、全国的な大流行となりました。この病気は、手足に麻痺の後遺症が残るもので、親たちは子どもへの感染を恐れました。しかし当時の日本政府の対策は皆無でした。まだ国交のないソ連（現在のロシア）に有効な予防薬である生ワクチンがあることが明らかになりましたが、ソ連は社会主義国であったことから、アメリカの意向にそう政治を続ける日本政府は、ソ連製の生ワクチンの輸入・投与を拒否しました。そこで母親らが中心となって、「子どもから小児マヒを守ろう」という組織が各地につくられました。その全国組織である「子どもを小児マヒから守る中央協議会」が、

十数回にわたる政府交渉を行い、その結果、1961年度に小児マヒ対策費4億円を予算化させ、超法規的措置（輸入生物に法律で決められた、国内に存在しない生物の有無を調査する「生物検疫」を省略した措置）として、ソ連から生ワクチン1000万人分、カナダから300万人分を緊急輸入させることができたのです。7歳以下のすべての子どもたちに無料投与が行われ、ポリオの流行はくいとめられ、1963年には日本からポリオは消えました。のちにWHO（世界保健機関）は「大衆が立ちあがり、たたかいの結果ポリオは撲滅した世界史的できごと」と評価しました。

　この子どものいのちを守ったのは母親たちです。内閣総理大臣でも厚生大臣（当時）でも官僚でもありません。ポリオが絶滅し、子どもに笑顔がもどってきた——主権者として国民として行動をとることの大切さがわかります。

参考図書
・文部省『民主主義』径書房、1995
・樋口陽一『憲法と国家―同時代を問う―』（岩波新書）、岩波書店、1999
・中央社会保障推進協議会編『人間らしく生きるための社会保障運動　中央社保協50年史』大月書店、2008

第8章 国家権力の分立

―三権分立とは権力を立法・行政・司法に分離して
相互の抑制と均衡を図るしくみです―

　日本国憲法は、立法権（41条）、行政権（65条）、司法権（76条）と権力を三つに分けています。立法権は政治の基準となる法律を制定する権力、行政権は法律を裁判以外の面で執行する権力、司法権は法を適用することで具体的な争いを裁定する権力です。ではなぜ、権力分立制を採用したのか、権力分立の意義と、議院内閣制や政党政治について考えていきたいと思います。

1．権力分立の原理

　近代憲法は、人権保障と統治機構から構成されています。その統治機構の基本的な原理は、国民主権と権力分立です。権力分立は、国家権力が一つの国家機関に集中すると権力が乱用され、国民の権利・自由が侵されるおそれがあるので、立法・行政・司法に分離し、それを異なる機関に担当させ、相互に抑制と均衡を保たせる制度です（**図表8－1**を参考にしていただくと、わかりやすいです）。そのねらいは国民の権利・自由を守ることにあります。すなわち人権を実現するために（目的）、統治機構が定められている（手段）と理解してください。
　1789年のフランス人権宣言は、「権利の保障が確保されず、権力の分立が定められていないすべての社会は、憲法をもつものではない」とし、基本的人権の保障と権力の分立がない憲法は、憲法の名に値しないとされています。三権分立は、およそ民主主義の国であれば当然に取り入れられているしくみなのです。
　歴史的には三権（立法・行政・司法）を対等・同格なものとするアメリカ型と、立法権を優位にとらえるヨーロッパ型に分けられます。
　アメリカ型は、アメリカ合衆国が圧政的なイギリス議会の制定法との抗争のなかで建国されたことにより、立法権に対する不信から三権を完全に分けています。同国で採用されている大統領制は、議会と政府とを完全に分離し、政府

図表8−1　三権の抑制と均衡

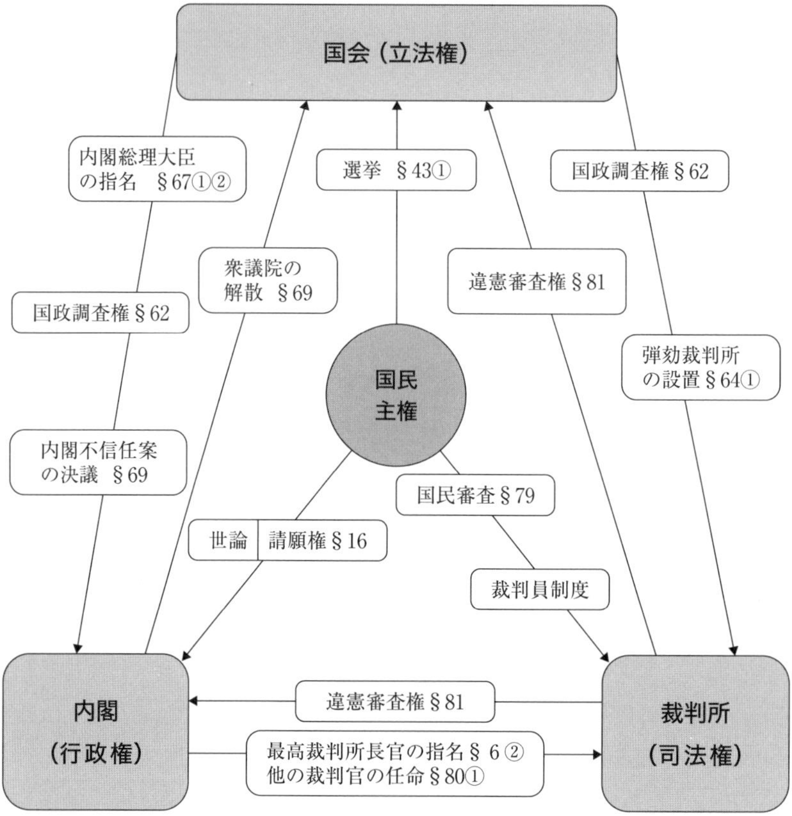

- 国会（立法権）
  - 内閣総理大臣の指名 §67①②
  - 選挙 §43①
  - 国政調査権 §62
  - 衆議院の解散 §69
  - 違憲審査権 §81
  - 国政調査権 §62
  - 弾劾裁判所の設置 §64①
  - 内閣不信任案の決議 §69
- 国民主権
  - 世論　請願権 §16
  - 国民審査 §79
  - 裁判員制度
- 内閣（行政権）
  - 違憲審査権 §81
  - 最高裁判所長官の指名 §6②
  - 他の裁判官の任命 §80①
- 裁判所（司法権）

※§は条、○数字は項を表す

作成：片居木英人

の長たる大統領を民選とする制度で、議会と政府は抑制と均衡の関係となっています。

　ヨーロッパ型は、君主に従属し権力を振るった裁判所に対する不信から立法権優位の権力分立制となっています。特にイギリスで発達した議院内閣制は、議会と政府を一応分離した上で、国民が議会を通じて政府に民主的コントロールを及ぼすシステムです。ここでは議会と政府は協力関係になります。

　日本は、国会を国権の最高機関（41条）と位置づけ、内閣が国会に対し連帯責任を負うことを原則とする議院内閣制を採用し、裁判所に違憲審査権を認

めていることからアメリカ型に近いといえます。

2．権力分立制の現代的変容

　現在の権力分立制は、当初の形態から大きく変容しています。まずその一つとしてあげられるのが、行政国家現象です。さまざまな福祉サービスの提供や専門的技術的な判断などを必要とする行政活動の役割が肥大化し、法の執行機関である行政府が、国の基本政策の形成決定に事実上、中心的な役割をはたしています。法律をつくる国会との関係でも、議員が作成し提出する議員立法よりも、内閣が作成し国会に提出する内閣提出法案のほうが多いといわれています。

　二つ目が政党国家現象です。政党が発達し、政党が国家の意思形成に事実上、主導的な役割を担うことになり、議会と行政府の関係が、「政府・与党」と「野党」との対抗関係へと機能的に変化しています。

　三つ目が司法国家現象です。裁判所に違憲審査権を認め、司法権が議会・政治の活動をコントロールしています。

　このような権力分立制の現代的な変容に対し、私たち国民はどのように人権を確保していくように関わっていくべきでしょうか。だいじなことは、国民の民意を反映させていくことです。たとえば社会保障制度の充実の、その内容には、国民の民意が反映されなくてはなりません。また政党国家現象についても、国民の民意を正確に反映させるような選挙制度のもとで議席が配分されていく必要があります。そして司法国家現象においても、司法権の判断に国民の信頼があることが前提であり、その前提がない場合は、国民審査（79条2項・3項）により最高裁判所裁判官を罷免させる必要があります。国民自身が有能な国会議員を選出していくこと、公約違反があった場合は選挙で落選させること、国政や行政を監視していくこと、情報公開や知る権利を拡大していくことです。最終的には国民が主権者としての自覚をもち、行動することが重要です。そうした努力を面倒くさがり他人任せにしてしまうと、民主主義は"死滅"してしまいます。

3．日本における議院内閣制

　日本では、憲法の以下の条文により、議院内閣制を採用していることがわかります。もっとも中心的なものは、「内閣は、行政権の行使について、国会に対し連帯して責任を負ふ」(66条3項)とする内閣の連帯責任の原則です。衆議院の内閣不信任決議案提出権(69条)や衆議院議員総選挙後の新国会召集と内閣総辞職(70条)、内閣総理大臣の指名権(67条)、内閣総理大臣・国務大臣の過半数が国会議員であること(67条、68条1項)、国務大臣の議院への出席(63条)が根拠条文です。

　議院内閣制は国民が選挙で国会議員を選び、その国会議員が内閣総理大臣を選ぶという制度です。内閣総理大臣には国民の民主的コントロールが及び、また政権は国民の民意を基盤とします。その根拠が失われれば当然、政治の正当性も失われます。マスコミが発表する内閣支持率の低さから実際に内閣総理大臣が辞任する場合があるのも、民意があってこその内閣ということを示すからです。

4．二大政党制

　二大政党制とは、二つの大政党が相互に政権を争い、選挙で勝った党が政権を担当する政党政治のことをいいます。アメリカの共和党と民主党、イギリスの保守党と労働党などが例としてあげられます。日本では戦後、1955年に、自由民主党と社会党という二つの大きな政党が誕生しました。その後強大な保守政党となった自由民主党による一党優位体制が続きましたが、2009年の選挙では民主党を中心とする連立政権が発足し、政権交代可能な二大政党制に近づいたと評されました。その民主党も、2012年12月の衆議院選挙、翌年7月の参議院選挙で議席を大幅に失い、再び自由民主党が政権を担うことになりました。アメリカのような二大政党制は、互いの政党間での政策的な相違はあまりなく、根本的な変化がないなかで政権交代を繰り返してきました。日本で起きたことは、これまでの政治や政策を断ち切ってほしいという意味での2009年の政権交代でした。しかしその政治の流れや政策はほとんど変わることはなく、国民の思いに応え得なかったため、民主党は支持を失うことになったのです。イギリスでは、2010年の総選挙で、どの政党も過半数の議席を獲得できない

状態となり、第一党の保守党と第三党の自由民主党が連立政権を発足させ、これまでの二大政党制と異なる状況になりました。

　多数の国民が生活している以上、その価値観は多様であり、その多様な民意に対応する政党が複数存在しても不思議ではありません。また政党に所属しなくても個人として活動している国会議員もいます。二大政党制が政治の最良のかたちとは言い切れません。連立政権というかたちであっても、選挙により主権者の審判をくり返すなかで、民主主義をより成熟させていく政権のあり方を模索していく必要があります。

5．政党の役割と政党政治

(1)　政党の役割

　今の政治は政党抜きでは語ることができず、権力分立を機能させるうえで重要な役割を果たしています。また衆議院や参議院の選挙の比例代表区では、政党名を記入して投票（非拘束名簿方式の参議院比例代表区では候補者名の記入も可能）するなど、国民が直接、政党を選んでいます。

　ドイツをはじめ第二次世界大戦後の一部の国には、政党を憲法制度のなかに編入している憲法もありますが、日本国憲法では、政党について特別の地位を与えていません。しかし、結社の自由（21条）や議院内閣制を採用しているので、政党の存在を当然に予定しているといわれます。国会法でいう会派は主として政党で、公職選挙法も政党の存在を認めています。公職選挙法の規定では、①所属する国会議員が5人以上、②直近の国政選挙での得票率が2％以上、のいずれかの要件を満たした政治団体が「政党」として扱われます。この要件を満たせば衆議院選挙の小選挙区と比例代表区双方への重複立候補ができ、小選挙区での政見放送も可能で、政党助成金支給の対象にもなります。

(2)　自由委任と党議拘束

　政党政治が発達すると、議員は個人として行動するのではなく、事実上党議に拘束され、党の指図に従って行動することが半ば強制されます。

　では、政党と議員個人の関係はどのように理解したらよいのでしょうか。

　国会は「全国民を代表する選挙された議員」（43条）で構成されると定められています。この「全国民の代表」の意味をどう理解するかについて議論され

てきました。かつては、国民は代表機関を通じて行動し、代表機関は国民意思を反映するものとみなされると考えられてきました。具体的には、①議員は選挙区ないし後援団体など特定の代表ではなく、全国民の代表であること、②議員は自分の信念にもとづいて発言・表決し、選挙母体や選挙区、後援団体等の訓令に拘束されないこと、命令委任は禁止され、自由委任が本質と考えてきました。しかしこれでは、議員は国民のために活動する意思をもちさえすればよいということになり、選挙における公約違反は不問にふされかねません。そこで今日の「全国民の代表」の考えは、議員の地位は選挙による国民意思によって正当化されるとし、国民意思と代表者意思の事実上の重なりとして代表の意味を理解するようになっています。

現代の政党国家においては、議員は所属政党の決定に従って行動することで国民の代表としての役割を発揮できることから、党議拘束も必要だと考えられています。

(3) 政党助成制度の憲法上の問題

政党助成制度は、1994年の細川内閣の時に、「政治改革」として衆議院選挙における小選挙区制度とセットで導入されました。そのきっかけは、1988年のリクルート事件や、佐川急便事件などの政治腐敗事件にあり、「政治改革」が大きな議論となりました。「企業からお金をもらうから政治が腐敗する。企業に代わって国が政党に政治資金を助成する」「政党への公的助成は『民主主義のコスト』であり、コーヒー1杯分の少額の助成にすぎない」などと、「政党中心」「カネのかからない選挙」のかけ声のもとに小選挙区制度が導入され、政治資金の公開と規制強化、企業団体献金禁止をするかわりに、その見返りに政党助成制度が決まったのです。政党助成金は国民一人あたり250円。税金から支出され、現在、年額は約320億円です。各党の国会議員数や国政選挙の得票率をもとに、政党助成法にもとづき、年4回に分けられて、一定の要件を満たした政党に支給されます。

しかし、国民がどの政党を支持するか・しないかは本来、一人ひとりの自由です。にもかかわらず、政党助成制度によって自分の納めた税金が自分の支持しない政党に強制的に配分給付されることになります。憲法の保障する思想・良心の自由（19条）への侵害です。また、自律的に活動すべき政党のあり方がゆがめられ、税金の"ひもつき"が、政党政治を堕落させるおそれもありま

す。政党の政治活動の自由を尊重するとして、政党助成金の使途に限定はなく、高級料亭などでの飲食、テレビCM放映料などに使われています。一部の政党を除き、ほとんどの政党がこの政党助成金を受けとり、収入の8割が政党助成金というみごとな「国営政党」まで誕生しています。

　連立政権与党は、結局、政党支部への献金容認という形で企業献金禁止の抜け道をつくり、政党助成金と企業団体献金の二重取りのしくみを永続化させ、「議員もリストラを」と称して、国民の声を国会にいっそう届きにくくするさらなる衆議院比例代表の定数の削減を主張しています。約320億円の政党助成金は約450人の議員を削減することに匹敵する金額で、このような政党助成制度こそ廃止されるべきと考えますが、いかがですか。

参考図書
・杉原泰雄『新版　憲法読本［第3版］』（岩波ジュニア新書）、岩波書店、2004

第9章　国会のしくみとはたらき

―国会が国民に信頼されて、「国権の最高機関」としての
役割を果たしていくことが求められます―

　前章では三権分立の意義が述べられました。三権分立とは、国民主権の下、国家権力が内閣（行政権）、国会（立法権）、裁判所（司法権）という3つに分離されて、相互に抑制と均衡を保ち、そのことによって、権力の乱用を防ぎ、国民の権利・自由を守るしくみのことです。本章では、その3つの独立した国家機関のうち「国会」についてみていきましょう。

1．衆議院と参議院

　日本には衆議院と参議院（国会議事堂を正面から見て左が衆議院、右が参議院）という2つの国会があります。原則、両方の国会が賛成しないと、物事を決定することはできません。これを二院制といいます。世界では2018年4月現在、193カ国中79カ国が二院制を採用しています。数としては半分以下ですが、主要国首脳会議（サミット）に参加している国（日本、アメリカ、イギリス、ドイツ、フランス、イタリア、カナダ、ロシア）はすべて二院制を採っています。これは、国民の多様な民意を反映させるには、慎重な審議が必要であるという考え方からです。図表9－1で、衆議院と参議院の違いを、確認してみましょう。

　まず、衆議院の定数は、参議院のほぼ倍。任期は参議院より2年少ない4年です。そして、何といっても解散の有無の違いです。衆議院には解散がありますが、参議院にはありません。このことから、衆議院は参議院と比べ、直近の国民の意思が強く反映されやすいという性格をもっています。また、憲法上、衆議院は議決の効力（法律案の議決（59条）、予算の議決（60条）、条約の承認（61条）、内閣総理大臣の指名（67条2項））や、権限（予算先議権（60条）、内閣不信任決議（69条））において、参議院よりも強い（衆議院の優越）ことが特徴です。

　ここまで書くと、「衆議院にこれだけ強い権限が与えられているのだったら、

第9章　国会のしくみとはたらき

図表9－1　衆議院と参議院の違い

	衆議院	参議院
定　　数	465	248
任　　期	4年（解散すれば地位を失う）	6年（3年ごとに半数改選）
選 挙 権	18歳以上	18歳以上
被選挙権	25歳以上	30歳以上
選 挙 区	小選挙区　289人 比例代表区　176人 （比例代表区は拘束名簿式）	選挙区　148人 比例代表区　100人 （比例代表区は非拘束名簿式）
解　　散	あり	なし

参議院なんていらないのでは」と思われる方がおられるかもしれません。はたして本当にそうでしょうか。ここで参議院の役割をみてみましょう。まず、参議院には「衆議院の行き過ぎを防ぐ」という役割があります。参議院は「良識の府」といわれ、衆議院と異なり、政党の立場にとらわれず、議員一人ひとりには、良心や信念に基づいて自由な意見を述べることが期待されています。また、「衆議院が解散されたときに国会の機能の空白を防ぐ」という任務があります。参議院には解散がないため、6年間じっくり腰を据えて、中長期的な視野で国家の政策や方向性等を議論することが期待されています。

しかし、参議院の選挙制度に比例代表制度（後で説明します）が導入されて以来、参議院においても、衆議院と同じように「政党化」が進み、衆議院との違いが薄れてしまったことは否めません。今後、参議院の役割、存在意義等についてどのような議論が展開されていくのか、注視していく必要がありそうです。

2．選挙制度

それでは国会の仕事について、憲法の条文からみていきましょう。

国会は、国権の最高機関であって、国の唯一の立法機関である（41条）。

「国権の最高機関」ということは、「内閣」や「裁判所」よりも上位にあるということです。なぜ国会は、憲法上、そのような位置づけになっているのでしょうか。それは国会が、国民から直接選ばれたメンバー（国会議員）によって構

成されている唯一の機関だからです。つまり、みなさんの一票（選挙）によって、国会議員が決まるからです。その議員の決定方法は、現行の選挙制度では、大きく分けて「小選挙区制」「選挙区制」「比例代表制拘束名簿式」「比例代表制非拘束名簿式」の４つに分類されます。

「小選挙区制」とは１選挙区につき１人を選出する選挙制度のことで、衆議院で採用されています。選挙区は全国で289。したがって、小選挙区の定員は289人とされています。ちなみに選挙区内においては、１つの政党から１人しか立候補することはできません。「小選挙区制」のメリットは、①選挙区が比較的狭いため、選挙費用を低く抑えることができる、②大政党に有利で、政権が安定しやすい、等が考えられます。一方、選挙区における当選人数は１人であるため、２位以下に入れた票（落選者に入れた票）は死票となり、結果として、少数意見が反映されにくいというデメリットがあります。

「比例代表制（拘束名簿式）」は、衆議院で採用されており、各政党の得票率に比例して、議席の配分を行う制度のことです。私たち有権者は、候補者ではなく、政党に投票することになります。政党の獲得総数はドント式によって決定され、当選者は、政党が提出した名簿順に選出されていきます。

ドント式とは、ベルギーの法学者ドントが考え出した議席割り当てのための計算方式で、各政党の得票数を１、２、３の整数で割っていき、一人当たりの得票数が多い順に各政党に議席を配分していくしくみです。政党を有権者が支持できる半面、有権者が候補者を自由に選べないというデメリットがあります。

比例代表制といっても、参議院では「非拘束名簿式」を採用しています。この制度では、衆議院の拘束名簿式とは異なり、有権者は政党もしくは名簿に掲載されている候補者（個人名）のどちらかに投票します。候補者への投票数と政党への投票数の合計が政党の総得票となります。政党の獲得総数は、衆議院と同様、ドント式によって決定されますが、当選者は拘束名簿式のように名簿順ではなく、得票数が多い候補者名から順に決定されていきます。

「比例代表制」は、拘束名簿式、非拘束名簿式にかかわらず、小政党でも国会に議員を送ることができる、死票が少なくなるというメリットがありますが、半面、安定的な政権になりにくい、全国区を相手にするため選挙費用がかかる等のデメリットがあります。

参議院の選挙制度は、大選挙区・小選挙区と比例代表（非拘束名簿式）が並立して採用されているので、「大選挙区・小選挙区非拘束名簿式比例代表並立制」

といわれ、一方、衆議院の選挙制度は、小選挙区と比例代表（拘束名簿式）が並立して採用されているので、「小選挙区比例代表並立制」といわれます。

なお、選挙制度については本書第7章の「国民主権とは」(74ページ〜80ページ) でも述べられています。内容が重なる部分もありますが、そちらもご覧いただければ、と思います。

3. 国会の仕事

(1) 法律をつくる

先に41条でみたように、国会は「国の唯一の立法機関」として規定されています。立法とは「法律をつくる」ということですから、国会の主な仕事は何といっても「法律をつくる」ということにあります。ちなみに、法律のもとになる法律案は「内閣」か「国会議員」がつくります。しかし、日本では内閣による法案提出が多く、国会議員による法案提出は多くないため、特に国会議員が提出した法案等を「議員立法」と呼んでいます。

(2) 国の予算の決議

内閣が1年間（4月〜翌年3月）の税金の使いみちについて、計画を立てた後（これが「予算」案です）、国会はその予算案を審議し、決議します。日本は二院制を採用しているので、衆議院、参議院の両議員で審議し、議決する必要があるのですが、順番は衆議院が先と決まっています（60条）。これを「衆議院の予算先議権」といいます。なお、平成30年度の国の予算（一般会計予算）は97.7兆円でした。

(3) 内閣総理大臣の指名

国会議員の中から、内閣総理大臣を指名することも、国会の主な仕事の1つになります（その後、天皇が任命）。国会議員は、国民によって直接選ばれるので、国会が内閣総理大臣を指名するということは、国民が間接的に内閣総理大臣を選んでいるということになります。ある種「間接選挙」的性格ともいえます。一方、フランスや韓国のように、国民が直接、大統領（元首）を選ぶ選挙を「直接選挙」といいます。自分の国の大統領を選ぶわけですから、国民による直接選挙の方がよいのではないかという意見も最近よく聞かれるようにな

りました（首相公選制）。みなさんは、日本のような国会議員が（内閣）総理大臣を選ぶ方法と、上記2国で採用されているような国民が直接大統領を選ぶ方法と、どちらの方式を支持されますか。

（4） 憲法改正の発議

ここでは、まず、96条の条文を一緒に読んでみましょう。

「この憲法の改正は、各議院の総議員の3分の2以上の賛成で、国会が、これを発議し、国民に提案してその承認を経なければならない。この承認には、特別の国民投票又は国会の定める選挙の際行はれる投票において、その過半数の賛成を必要とする。」(96条1項)

この条文からわかることは、国会は、憲法を改正する発議（憲法を改正する「提案」のこと）をすることができるけれども、その要件として、衆参それぞれの議院における総議員の3分の2以上の賛成が必要ということです。仮にこの条件が満たされたとしても、その後は国民の判断（直接投票により過半数の賛成が必要）に委ねられるので、現状では、憲法改正は非常に高いハードルだといえるでしょう。憲法を改正する発議に「総議員の3分の2以上の賛成」が必要ということを、みなさんはどう考えますか。妥当な条件でしょうか、それとも厳し過ぎますか。ちなみに、「総議員の3分の2以上」ということは、仮に総議員の3分の2以上の議員が欠席した場合、その時点で、国会として発議するかどうかの採決を行うことはできなくなります。

（5） その他

国会の仕事には他にも、条約の承認（内閣が外国と結んだ条件を許可）、弾劾裁判所の設置（問題のある裁判官を裁く裁判を実施）、国政調査権の発動（政治全般に対する調査を実施。衆議院と参議院がそれぞれ独自に調査することが可能。その調査過程では、証人喚問として関係者を呼び出すこともできる）、内閣不信任決議（内閣総理大臣と大臣たちを辞めさせることが可能。ただし、衆議院のみ）等があります。

4．国会の種類

それでは、前項であげたような仕事を国会はいつ、どのような時に行うのでしょうか。それを理解するためには、国会の種類を確認する必要があります。

図表9－2　国会の種類

	通常国会	臨時国会	特別国会
憲　　法	52条 【常会】 国会の常会は、毎年1回これを召集する。	53条 【臨時会】 内閣は、国会の臨時会の召集を決定することができる。いづれかの議院の総議員の4分の1以上の要求があれば、内閣は、その召集を決定しなければならない。	54条 【衆議院の解散、特別会】 衆議院が解散されたときは、解散の日から40日以内に、衆議院議員の総選挙を行ひ、その選挙の日から30日以内に、国会を召集しなければならない。
召集時期	毎年1回、1月	内閣が必要に応じて召集するか、いずれかの議院の総議員の4分の1以上の要求時	衆議院選挙（衆議院の解散の日から40日以内に実施）の日から30日以内
会　　期	150日間	両議院一致で決定＊	
延　　長	1回まで	2回まで（延長するかどうかは両議院一致で決定＊）	

＊両議院で一致しない場合及び参議院が議決しない場合は、衆議院の議決による。

図表9－2からもわかるように、国会には、「通常国会」「臨時国会」「特別国会」があります。「特別国会」は衆議院が解散された後に召集される国会なので、通常は「通常国会」と「臨時国会」が開かれていることになります。なお、内閣は、国に緊急の必要があるとき、衆議院が解散されたとき、参議院の緊急集会を求めることができます（54条2項）。

5．国会改革

　最後に、国会改革について、少し触れておきましょう。憲法上、国会は「唯一の立法機関」であり、「国権の最高機関」とされています。じつは、形骸化しているといわれて久しく、現在、多岐にわたりさまざまな問題を抱えています。例えば、国会で行われる審議のほとんどは、すべてその前の委員会等で行われたものであるため、形式的なものに終始し、政治家同士が真剣に議論する場になっていません。そればかりか、品位を欠き、質疑を妨害するようなヤジが目立っています。

　また、国会には予算委員会という常任委員会があり、そこでは、予算だけでなく、国政全般に関して審議が行われるのですが、閣僚の資質等の質疑がたびたび行われ、本来議論されるべき内容が疎かになっているとも指摘されています。

　さらに、首相の国会答弁時間が欧米と比較し多すぎるという問題もあります。答弁時間が国会に多く取られることによって、首相の外国訪問の機会が失われ、結果として、国益の損失につながっている可能性があります。内閣の一員である各大臣や副大臣等が首相に代わって答弁する機会をもっと増やすべきでしょう。そして、何といっても議員定数、参議院の役割については、今後も活発な議論と検討が必要であり、国会議員自らが積極的に取り組んでいかなければならない課題です。「国会」が自浄作用を発揮し、国民に信頼され、真の意味で「国権の最高機関」としての役割を果たしていくことが強く望まれます。

第10章　内閣のしくみとはたらき

―国会で成立した法律や予算に従い実際の政治を行うことを
行政といい、この行政の責任を担うのが「内閣」です―

1．内閣とは

　内閣は、内閣総理大臣（国会の指名に基づき天皇が任命）と国務大臣で構成されています（66条1項）。そして、国務大臣の過半数は、国会議員の中から選ばなければなりません（68条1項）。日本の行政機構図は96ページ（**図表10－1**）です。正確には、1府13省で構成されています（国家公安委員会委員長と復興庁〈復興大臣〉は国務大臣として担任されます）。内閣官房長官も国務大臣です。ちなみに、2016年8月3日に発足した第3次安倍第2次改造内閣の閣僚は19名でした。国務大臣は過半数が国会議員でなければなりませんが、いい換えるとその過半数が国会議員であれば、その他は民間人でもよいということになります。実際、大学教授等が国務大臣の職につくことがあります。組閣された際、報道等で民間人が何人入ったかが話題になりますが、その背景には、この68条1項があります。

　また、内閣総理大臣も国務大臣も、すべて文民でなければなりません（66条2項）。文民とは「非軍人」のことをいいますが、はたして自衛官は文民なのでしょうか。現在の解釈では、現職の自衛官は文民ではなく「軍人」に当たり、過去の自衛隊経験者は文民とされています。

2．内閣総理大臣

　内閣総理大臣は、国の政治の代表であり、国会議員の中から、国会の議決で指名されます（67条）。これらについては前章でも触れました。そして以下のような権限をもっています。

・国務大臣の任命と罷免（68条1項及び2項）
・内閣を代表して国会に議案（法律案、予算案）を提出する（72条）

図表10-1　日本の行政機構

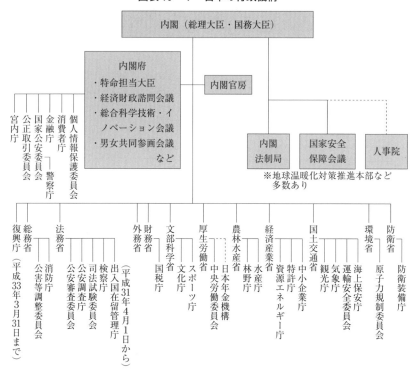

・一般の国務、外交関係について国会に報告する（72条）

　国務大臣の不祥事が報道されると、必ずといっていいほど、内閣総理大臣の任命責任が問われます。これは、内閣総理大臣が、国務大臣の任命・罷免権限（68条）を有しているからです。

　さて、内閣総理大臣は、第87～89代小泉純一郎氏以降、安倍晋三（2006年）、福田康夫（2007年）、麻生太郎（2008年）〈以上自民党〉、鳩山由紀夫（2009年）、菅直人（2010年）、野田佳彦（2011年）〈以上民主党〉、安倍晋三（2012年）〈自民党〉の各氏というように、7年間連続で代わったことは記憶に新しいところです。このことは、特に日本の外交において、大きな損失となりました。諸外国のリーダーたちも、1年で代わる可能性がある内閣総理大臣と中長期的な信頼関係を構築しようとは思わないことでしょう。やはり国のリーダーは、ある

程度の年数、じっくり腰を据えて、その職務を全うする必要があるのではないでしょうか。

　日本の場合、内閣総理大臣の任期に規定はなく（例えば、米国の大統領は2期8年）、原則、党の規則に従うことになります。自民党政権の場合、その総裁が内閣総理大臣に選ばれることになっているので、結果的に、内閣総理大臣の任期は、自民党総裁の任期ということになります。2019年現在の自民党総裁の任期は、3年連続3期までと定められているので、仮に自民党政権がこれからも続いた場合、実質、内閣総理大臣の任期は最長9年ということになります。

ちょっとブレイク

内閣総理大臣の通算在職日数

1位：桂太郎	2886日
2位：佐藤榮作	2798日
3位：伊藤博文	2720日
4位：吉田茂	2616日
5位：安倍晋三	2461日 （2018年9月20日現在）
6位：小泉純一郎	1980日

　3位の伊藤博文氏は、1885年、44歳の時に初代内閣総理大臣に就任しました。これは、今でも歴代最年少記録です。はたして、今後、40歳代の内閣総理大臣は出るのでしょうか。

◆首相動静◆

　内閣総理大臣は、普段、どんな仕事をしているのでしょうか。じつは、私たちは、内閣総理大臣の一日の仕事内容を分単位で知ることができます。日本の主要新聞には「首相動静」というタイトルの記事があります。これは、内閣総理大臣の一日の動向に関する記事であり、内閣総理大臣がいつ、誰と、どこで、どのくらいの時間、何をしていたのか等がわかるようになっています。毎日公開されているので、チェックしてみてください。

3．内閣の職務

次に内閣の職務を確認しましょう。前項で説明した内閣総理大臣は、以下に掲げる職務（73条）を遂行する責任者ということになります。

> 内閣は、他の一般行政事務の外、左の事務を行ふ。
> 1．法律を誠実に執行し、国務を総理すること。
> 2．外交関係を処理すること。
> 3．条約を締結すること。但し、事前に、時宜によつては事後に、国会の承認を経ることを必要とする。
> 4．法律の定める基準に従ひ、官吏に関する事務を掌理すること。
> 5．予算を作成して国会に提出すること。
> 6．この憲法及び法律の規定を実施するために、政令を制定すること。但し、政令には、特にその法律の委任がある場合を除いては、罰則を設けることができない。
> 7．大赦、特赦、減刑、刑の執行の免除及び復権を決定すること。

この他の内閣の職務としては、最高裁判所長官の指名（6条2項）やその他の裁判官の任命（79条1項）、そして、天皇の国事行為に対する助言と承認（3条）、等があります。

4．内閣の総辞職

総辞職とは、内閣を構成している総理大臣および全閣僚が同時にその職を去ることで、憲法上は、次のような場合を規定しています。

・内閣は、衆議院で不信任の決議案を可決し、又は信任の決議案を否決したときは、10日以内に衆議院が解散されない限り、総辞職をしなければならない（69条）。
・内閣総理大臣が欠けたとき、又は衆議院議員総選挙の後に初めて国会の召集があつたときは、内閣は、総辞職をしなければならない（70条）。

まず、69条で規定されている「内閣不信任決議案」とはいったい何なのでしょ

うか。一言でいうならば、議会が内閣に対して「信任しない」という意思を示すことです。その意思が通れば、そのときの内閣を退陣に追い込むことができます。したがって、この内閣不信任決議案は、一般的には衆議院の野党から提出されることになります。「参議院」には認められていません。衆議院で提出された決議案について、出席議員の過半数の賛成が得られた場合、内閣は総辞職しなければなりません。政権与党は可決されないよう、阻止することになります。ちなみに、戦後内閣不信任決議案が可決されたのは、第2次吉田茂内閣（1948年）、第4次吉田茂内閣（1953年）、第2次大平正芳内閣（1980年）、宮沢喜一内閣（1993年）の4回のみで、その他は、決議案が提出されても、当時の政権与党が否決しました。

なお、70条の「内閣総理大臣が欠けたとき」というのは、内閣総理大臣が亡くなったときや、国会議員の地位を失ったとき等を想定しています。

5．議院内閣制

「議院内閣制」とは、「内閣とは、国民の代表機関である国会の信任を受けて存在しており、国会に対して連帯して責任を負う」制度のことをいいます。前項で述べたように、仮に衆議院で不信任決議案が可決された場合は、内閣は衆議院から信任されていないということになり、「議院内閣制」にとって重要な意味をもつことになります。「国会に対して連帯して責任を負う」とは、66条3項に、「内閣は、行政権の行使について、国会に対し連帯して責任を負ふ」と述べられているように、内閣総理大臣は国会議員のなかから国会の議決によって指名されること、国務大臣は内閣総理大臣によって任命され、その過半数は国会議員でなければならないこと等を意味しています。

6．衆議院の解散

「内閣不信任決議」に対抗する手段として、内閣総理大臣は、衆議院の解散（7条3号）を決定することができます。「解散」とは、任期途中で衆議院の資格を失わせることです。衆議院を解散した場合、解散の日から40日以内に衆議院の総選挙を行い、その選挙の日から30日以内に国会が召集されたときに内閣は総辞職し（70条）、国会は新たに内閣総理大臣を指名することとなります。

このようなプロセスを経て、内閣は再び、国会の信任を得ることになります。
　ちなみに、「解散」は閣議決定事項(内閣法4条に規定される政府〔行政〕の意思決定機関である閣議において、全大臣同意のもと決定される政府全体の合意事項)で、全閣僚の署名が必要となります。2005年に小泉純一郎内閣総理大臣が行ったいわゆる「郵政解散」では、署名をしなかった農林水産大臣が罷免され(68条2項)、内閣総理大臣自らが農林水産大臣を兼務することで、その条件が満たされました。

第11章　裁判所のしくみとはたらき

―裁判所は「憲法の番人」といわれます。違憲審査権により
国会や内閣の憲法違反をチェックします。

1．裁判所の種類

　日本の裁判所は、憲法上、最高裁判所と下級裁判所の2つに分かれています。

　「すべて司法権は、最高裁判所及び法律の定めるところにより設置する下級裁判所に属する。」（76条1項）

　ここからもわかるように、下級裁判所については、「法律」の定めるところにより設置されることになります。その法律とは、「裁判所法」であり、その2条1項には、「下級裁判所は、高等裁判所、地方裁判所、家庭裁判所及び簡易裁判所とする」とその種類が定められています。
　つまり、日本には、最高裁判所を含め、5種類の裁判所があることがわかります。日本は三審制を採っているので、これらの裁判所で3回まで裁判を受けることができます。基本的には3回で終わり（終審）ですが、その後に、別の証拠品が出た場合は、裁判をやり直す制度（再審制度）もあります。1回目の判決に納得がいかなかった場合は「控訴」、2回目の判決に納得がいかなかった場合は「上告」することによって、その上の裁判所で裁判を受けることができます。それぞれの裁判所の特徴は**図表11－1**のとおりとなっています。

図表11-1　裁判所の種類

最高裁判所	大法廷（1） （15人の合議制）	小法廷（3） （各5人の合議制）
	高等裁判所の裁定に対してされた不服申立て（上告等）を取り扱う最上級、最終の裁判所です。	

↑上告　↑上告　↑特別抗告／再抗告　↑上告

高等裁判所	3人の合議制
［本庁8（支部6）］ 東京（＊知的財産）、大阪、名古屋（金沢）、広島（岡山・松江）、福岡（宮崎・那覇）、仙台（秋田）、札幌、高松	地方裁判所、家庭裁判所。簡易裁判所の裁判に対してされた不服申立て（控訴）を取り扱います。 ＊知的財産高等裁判所は、東京高等裁判所の特別の支部として設けられています。

↑控訴　↑上告　↑控訴　↑刑事　↑告訴　↑家事　↑少年　↑控訴　↑人事訴訟

地方裁判所		家庭裁判所	
（1人制または3人の合議制） ＊裁判員裁判では、原則裁判官3人、裁判員6人の合議制		（1人制または3人の合議制）	
［本庁50］ 都道府県庁のある47カ所のほか函館、旭川、釧路3カ所	民事事件、刑事事件の第一審を簡易裁判所と分担して取り扱う。	［本庁50］ 都道府県庁のある47カ所のほか函館、旭川、釧路3カ所 ［支部203］ ［出張所77］	家庭事件、少年事件、人事訴訟事件などを取り扱う。

↑控訴　↑民事

簡易裁判所	（1人制）
［438］	争いとなっている金額が比較的少額（140万円を超えない請求）の民事事件と比較的軽い罪の刑事事件のほか、民事調停も取り扱う。

2．違憲審査権

　法律は、先に述べたように、41条に従い、国の唯一の立法機関である「国会」によってつくられ、「内閣」がそれを誠実に執行することになりますが、三権分立の1つである裁判所（司法）は、その法律が憲法に違反していないかを審査し、もし違反していると判断される場合は、それを無効にする権限をもっています。裁判所のこのような権限を「違憲審査権」といいます。この「違憲審査権」は、国会がつくる「法律」だけでなく、「命令」（内閣の政令や府・省令）や「規則」、行政の行為に対しても適用されます。

「最高裁判所は、一切の法律、命令、規則又は処分が憲法に適合するかしないかを決定する権限を有する終審裁判所である。」（81条）

　この「違憲審査権」は81条に規定されているのですが、この条文の主語は「最高裁判所」となっています。それでは「最高裁判所」のみがこの「違憲審査権」をもっているかというと、そうではありません。なぜならば、述語が「終審裁判所」だからです。「終審裁判所」とは、最終の審理を行う裁判所ということですから、その前に審理が行われる可能性があることが示されています。したがって、この「違憲審査権」は、最高裁判所以外の裁判所にも認められると解釈されています。実際、「憲法81条は、最高裁判所が違憲審査権を有する終審裁判所であることを明らかにした規定であって下級裁判所が違憲審査権を有することを否定する趣旨をもっているものではない。」という判例（最高裁大法廷判決昭和25年2月1日刑集4巻2号73頁参照）もあります。

3．最高裁判所裁判官国民審査

　次に最高裁判所裁判官の国民審査について考えていきましょう。まず、最高裁判所の裁判官は、最高裁判所長官1人と最高裁判所判事14人、合計15人で構成されています（裁判所法5条1項）。そして、最高裁判所長官は、内閣の指名に基づき天皇が任命し、最高裁判所判事は内閣が任命し、天皇が認証します。最高裁判所の裁判官は、任命後、初めて行われる衆議院議員総選挙の際に、国民から審査を受け、その10年を経過した後、再審査され、その後も同様の

審査を受けなければなりません。もし、その審査で、多数が裁判官の「罷免を可」とする場合は、裁判官は罷免されることになります（79条）。

「② 最高裁判所の裁判官の任命は、その任命後初めて行われる衆議院議員総選挙の際国民の審査に付し、その後10年を経過した後初めて行われる衆議院議員総選挙の際更に審査に付し、その後も同様とする。
③ 前項の場合において、投票者の多数が裁判官の罷免を可とするときは、その裁判官は、罷免される。」

この国民審査は、「裁判官の罷免を可とする投票」（辞めさせたい裁判官に×をつける方式）ですので、×をつけなければ（△や○をつけると無効）、その裁判官は信任されたことになります。このように、制度上は、最高裁判所裁判官国民審査法に基づき最高裁判所裁判官は国民の審査を受け、罷免される可能性があるのですが、1949年に初めて国民審査が実施されて以来、罷免された最高裁判所裁判官は一人もいません。したがって、国民の興味・関心も低く、この制度自体が形骸化されているといっても過言ではないでしょう。それでは国民の興味・関心の低さが悪いのかというとそうではありません。私たちが国民審査をするに当たり、唯一の情報となるのが、「最高裁判所裁判官国民審査公報」です。これは自宅に配布されるものですが、その内容は、①裁判官の名前、②生年月日、③略歴、④最高裁判所において関与した主要な裁判、⑤裁判官としての心構え、⑥趣味、が書かれている程度であり、一般国民にとってはこの情報だけで判断することは難しいからです。また、④の最高裁判所において関与した主要な裁判については、その記述内容をきちんと理解し、判断することができるのは法曹関係者だけなのではないかと思われます。さらに、この国民審査は衆議院議員選挙と同時に行われるため、メディアは衆議院議員選挙のことを中心に報道し、国民審査については、ほとんど報道がなされません。その結果、国民は裁判官を罷免すべきかどうかの判断材料を得ることができないまま、「よくわからない、でも、×をつけるにはちょっと抵抗がある。」というような考えで、けっきょく、何も印をつけず、そのまま票を投じることとなります。

そして、その結果、裁判官の信任ということになります。このような消極的信任による「国民審査」を今後どのように改革していくか、現在、大きな課題

となっています。

4．裁判員制度

　裁判員制度についても、考えていきましょう。裁判員制度とは、ある日突然連絡が来て、裁判官と一緒に、事件を審理し、裁判を行うことです。「法律の知識もないのにそんなことできるわけがない」と思われるかもしれません。しかし、原則、国民（対象は衆議院議員の選挙権を有するもの《日本国民であること、年齢満 20 歳以上であること》）に裁判員を拒否する権利はありません。しかし、次のような場合は、裁判所が認めれば、辞退することができます。

- 70 歳以上の人
- 地方公共団体の議会の議員（ただし会期中に限ります）
- 学生、生徒
- 5 年以内に裁判員や検察審査員などの職務に従事した人、3 年以内に選任予定裁判員に選ばれた人及び 1 年以内に裁判員候補者として裁判員選任手続の期日に出席した人（辞退が認められた人を除きます）
- 一定のやむを得ない理由があって、裁判員の職務を行うことや裁判所に行くことが困難な人。やむを得ない理由としては、例えば、以下のようなものがあります。
    * 重い病気又はケガ
    * 親族・同居人の介護・養育
    * 事業上の重要な用務を自分で処理しないと著しい損害が生じるおそれがある。
    * 父母の葬式への出席など社会生活上の重要な用務がある。
    * 妊娠中または出産日から 8 週間を経過していない。
    * 重い病気またはケガの治療を受ける親族・同居人の通院・入退院に付き添う必要がある。
    * 妻・娘の出産に立ち会い、またはこれに伴う入退院に付き添う必要がある。
    * 住所・居所が裁判所の管轄区域外の遠隔地にあり、裁判所に行くことが困難である。

裁判員制度は、2004年5月21日「裁判員の参加する刑事裁判に関する法律」（裁判員法）の成立により、その5年後の2009年5月21日から開始されました。国民に裁判員として刑事裁判に参加してもらい、被告人が有罪かどうか、有罪の場合どのような刑にするか裁判官と一緒に決める制度です。国民が刑事事件に参加することにより、裁判が身近でわかりやすいものになり、司法に対する信頼の向上につながることが期待されています（裁判員制度のホームページ「裁判員制度の紹介」http://saibanin.courts.go.jp/introductrion/index/html 〈2013.8.8アクセス〉から一部引用）。

　裁判員裁判の対象事件は、「一定の重大犯罪」、例えば、殺人罪、強盗致傷罪、現住建造物等放火罪、身代金目的誘拐罪、危険運転致死罪等で地方裁判所で行われる刑事事件が対象となります。これまでの刑事裁判は、裁判官が3人で行われていましたが、裁判員制度の導入によって、裁判官3人に裁判員6人（国民）が加わり、合計9人が審理・裁判に当たることとなりました。

　裁判員の役割は、①公判（刑事事件の法廷）の立会い（証拠書類の取り調べや証人や被告人に対する質問）、②評議（議論）・評決（決定）《被告人が有罪か無罪か、有罪だとしたらどれだけの量刑を科すべきか等について議論し、決定します。決定は過半数で行われますが、3人いる裁判官の1人が多数に入っていなければなりません》があり、最後に法廷で裁判長が判決を宣告することで、終了します。

　では、裁判員制度にはどのようなメリットとデメリットがあるのでしょうか。まず、メリットの一つが裁判員制度の目的にも述べられているとおり、私たちにとって刑事事件裁判が身近になることでしょう。今まではどのような事件であっても、メディアの報道が国民の興味・関心の引き金となっていました。極言すれば、メディアが報道しなければ、社会的な重大事件でさえ、国民の興味・関心は低かったといえるのではないでしょうか。しかし、今回の裁判員制度では、裁判員に選ばれた国民は、「地方裁判所」の刑事裁判に最初から最後までかかわることとなり、さらに、私たち国民もいつ自分が選ばれるかわからないという意味で、事件や裁判に関して問題意識をもつようになると考えられます。

　また、裁判員制度によって、「司法に対する国民の理解の増進とその信頼の向上」が期待されています。今までは、世論が被告人に対して厳しい刑を望ん

でいたとしても、そうならないケースが多々ありました。日本は、「罪刑法定主義」（罪と刑をあらかじめ法律で定められていないものは刑罰の対象にはならないということ）を採っているのですが、その刑罰の範囲のなかで国民の処罰感情が求める量刑よりも軽くなってしまうことがあります。そこで、国民が裁判員として裁判に参加することで、被告に対して適正な量刑を科すことが期待されています。

　デメリットとしては、まず、先に述べたとおり、裁判員に選ばれた場合には原則拒否することはできず、公判に出席することを求められることです。その公判も祝祭日ではなく、平日に行われるため、勤務している人であれば、仕事を休まなければなりません。仕事を休むことによって、会社で不利益な立場になることもあるでしょう。制度上は裁判員法100条、及び労働基準法7条で裁判員が不利益な扱いをされないよう保護されていますが、これからも社会として注視していく必要があります。

裁判員法100条【不利益取扱いの禁止】
　労働者が裁判員の職務を行うために休暇を取得したことその他裁判員、補充裁判員、選任予定裁判員若しくは裁判員候補者であること又はこれらの者であったことを理由として、解雇その他不利益な取扱いをしてはならない。

労働基準法7条【公民権行使の保障】
　使用者は、労働者が労働時間中に、選挙権その他公民としての権利を行使し、又は公の職務を執行するために必要な時間を請求した場合においては、拒んではならない。但し、権利の行使又は公の職務の執行に妨げがない限り、請求された時刻を変更することができる。

　また、裁判員の安全面が懸念されています。なぜならば、裁判員は一定の重大犯罪（刑事事件）を扱い、被告に対して、厳しい量刑を科す可能性が高く、裁判員が逆恨みされ、報復される可能性があります。そこで、裁判員制度では、①裁判員の名前や住所は公にされない、②万一にも事件関係者に知られることがないように裁判員の個人情報については厳重に管理する、③裁判員が法廷や評議室へ移動する際に事件関係者等と接触することがないよう部屋の配置等に工夫がされている、④事件関係者から危害を加えられるおそれのある例外的な

事件については裁判官のみで審理する、こととされています。私たちがもし裁判員に選ばれたとしたら、安全面は確かに不安です。

さらに、世論に強い影響を受けたことによって、公正な判断ができず、冤罪に導いてしまう可能性があることも否定できません。裁判員が担当するのは重大な事件ですから、そのような事件の多くはメディア等によって、報道されていることでしょう。しかし、そのメディアの報道には濃淡があり、また、常に正しいとは限らないことに留意する必要があります。そして、裁判員は、その報道の影響を受けた状態で審理・評決することになり、もし、証拠等に基づいて判断することに慣れていない場合は、一時の感情や世論に流されてしまうことが十分考えられます。「無罪」かもしれない被告人を「有罪」と判断し、さらに厳しい量刑を科してしまう「誤判」の可能性があるわけです。

最後に、裁判員は法廷で提出される証拠をすべて確認しなければならないため、時には慣れていないグロテスクな写真を見ることもあるでしょう。その場合、裁判員の心理的な負担は相当大きいのではないでしょうか。

日本における裁判員制度はまだ歴史が浅いため、今後、多くの改善の余地があります。現行の裁判員制度のメリット、デメリットを考えていくことがだいじです。

第12章　財政と租税（税金）

―徴収された税がどのように活用されていくか、
納税者として監視していく必要があります―

1．国家予算

みなさん、日本の国家予算はいくらだと思いますか。**図表12－1**からもわかるように、約97.7兆円であり、この額は年々増加傾向にあります。

国家予算は、一般会計と特別会計に分類することができるのですが、ここでは、一般会計にしぼって確認していきましょう。**図表12－1**の歳出内訳をみると、社会保障が約34％、地方交付税交付金等が約16％、国債費が約24％であり、

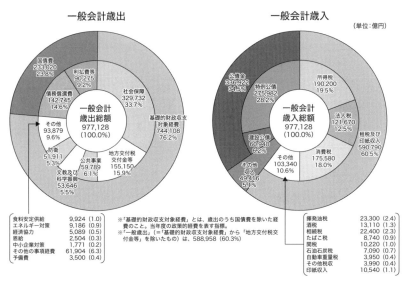

図表12－1　平成30年度一般会計歳出・歳入の構成

［出所］財務省「平成30年度一般会計歳出・歳入の構成」
http://www.mof.go.jp/tax_policy/summary/condition/a02.htm（2019.1.16 アクセス）

figure 12-2　一般政府債務残高対 GDP 比

暦年	2011	2012	2013	2014	2015	2016	2017	2018
日本	222.1	229.0	232.5	236.1	231.3	235.6	236.4	236.0
米国	100.0	103.5	105.4	105.1	105.3	107.2	107.8	108.0
英国	81.3	84.5	85.6	87.4	88.2	88.2	87.0	86.3
ドイツ	78.6	79.8	77.4	74.7	71.0	68.2	64.1	59.8
フランス	87.8	90.7	93.5	95.0	95.8	96.6	97.0	96.3
イタリア	116.5	123.4	129.0	131.8	131.5	132.0	131.5	129.7
カナダ	81.5	84.8	85.8	85.0	90.5	91.1	89.7	86.6

（出典）IMF "World Economic Outlook Database"（2018年4月）　＊数値は一般政府ベース

［出所］財務省ホームページ「債務残高の国際比較（対GDP比）」
http://www.mof.go.jp/tax_policy/summary/condition/007.htm（2019.1.16アクセス）

この3つで約70％を占めていることがわかります。そして、その支払いのためには、当然、十分な歳入が必要になります。

しかし、歳入の内訳をみると、私たちの税金である「租税及び印紙収入」の項目は約60％です。それでは、その足りない分はどこから補われているかというと、「公債金」（借金）ということになります。毎年、足りない分は公債金で補われており、負債はどんどん増えていきます。さらにお金を借りる場合には金利が必要となります。額が大きいので、金利を返すだけでも大変なことは、容易に想像することができるのではないでしょうか。

2．国（政府）の負債

現在、政府が抱える負債はいくらあると思いますか。平成28年度末で約1470兆円であり、1000兆円を超えています（資産は約986兆円）。なお、**図表12-2**からもわかるとおり、一般政府債務残高（中央政府、地方政府、社会保障基金を合わせたものベース）の対GDP比は200％を超えており、これは、他の先進国と比較しても、極めて高い数字です。

GDPとは、国内総生産のことで、1年間に国内で新しく生みだされた生産

物やサービスの金額の総和のことをいいます。よくその国の経済力の目安に用いられます。

　負債があっても、資産がこれらを上回っていればよいのですが、残念ながら、資産は先に見たとおり約986兆円です。つまり、資産を含めた純負債は約484兆円ということですが、この資産はすぐ返済に使える性格のものではありません（ほとんどが売却できない資産）。

　このような状況であるのにもかかわらず、日本はなぜすぐに破綻しないのでしょうか。第一に、その借金の内訳のほとんどが国債であり、そして、その借金の担保が個人の金融資産であると考えられるからです。多くの国民が銀行にお金を預けており、銀行は、そのお金を政府が発行した国債を購入する資金に充てています。つまり、国民は間接的に日本の国債に投資していることになります。なお、2018年9月末の国債等（国庫短期証券、国債・財融債の合計）残高は1091兆円であり、保有者は中央銀行が43.0％、銀行等が17.3％、生損保等が18.7％、公的年金が4.2％、年金基金が2.8％となっています。

　そして、ここで押さえておきたいことは、国債等の国内消化率が90％を超えている、ということです。国が破綻する時の多くが、海外で債券が売られることで債券の価格が低下し、その結果、長期金利の上昇を招き借金が膨らみ、最終的に借りたお金を返すことができなくなるというパターンです。しかし、日本の場合、国債等が海外で売られること自体が諸外国と比較してその比率が格段に低いので、国が破綻するような状況にはなりません。とはいえ、今後、海外の金融機関、投資家等による保有比率（2018年3月末で11.6％）が急激に高まれば、もちろん、状況は一転します。

　次に、この負債は政府の負債であり、国の借金ではないということです。日本銀行は、国の経済主体を主に、「政府」「金融機関」「非金融法人企業」「家計」「NPO（民間非営利団体）」の5つに分類しています（日本銀行「資金循環統計」）。「政府」のみに焦点を当てれば、確かに多くの借金を抱えていることになります。しかし、他の4つの経済主体を含め、合計すれば、日本は負債を上回る資産を有していることになります（2015年12月末時点）。さらに、それに関連して、平成29年末の対外資産負債残高によると、日本の企業、政府、個人投資家が海外にもつ資産から負債を差し引いた対外純資産は、世界第1位の約328兆円であり、日本は「世界一の債権国」です。これは平成3年以降25年連続第1位であり、第2位はドイツ（約261兆円）、第3位は中国（約204兆円）となっ

ています。その他の主要国、例えばアメリカ、フランス、イギリス、イタリア等の対外純資産はマイナスで推移しており、これは「対外純負債」を抱えていることを意味します。

　それでは、なぜ、日本政府はこれだけの負債を抱えることとなったのでしょうか。さまざまな理由が上げられますが、一つは、高齢化による社会保障関係費の増大によるものが大きいと考えられます。実際、この費用は年々増え、1980年代には約8兆円でしたが、平成30年度（2018年度）の一般予算における社会保障関係費は約33兆円にまで膨れ上がりました。今後も少子高齢化（日本では2050年には65歳以上が40％近い割合〈10人に4人〉になると予想されています）に伴って、この費用は増大していくことが予想されます。

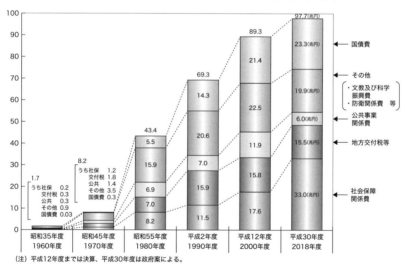

図表12−3　一般会計歳出に占める主要経費の割合の推移

（注）平成12年度までは決算、平成30年度は政府案による。

［出所］財務省「我が国の財政事情（平成30年度予算政府案）」p.7
https://www.mof.go.jp/budget/budget_workflow/budget/fy2018/seifuan30/04.pdf
（2019.1.16アクセス）

3．租税（税金）

　それでは、この負債を減らすにはどうしたらよいのでしょう。そのためには、一般会計における歳入の約60％を占める税収（1990年度の86.8％がピーク）をどうやって上げるかということが課題です。

　まず、国民には納税の義務がある（30条）ので、私たち国民が、税金をきちんと納めることです。実際、この義務を怠ると、脱税等の罪に問われる可能性もあります。

> 国民は、法律の定めるところにより、納税の義務を負ふ。

　それでは具体的に、私たちはどのような税を納めないといけないのでしょうか。図表12－4にあるとおり、税は「所得課税」「資産課税」「消費課税」に分類され、それぞれ国税と地方税に分かれています。みなさんにとって身近な税は、消費課税のうち、消費税、酒税、たばこ税、航空機燃料税、関税等でしょうか。ちなみに、とん税とは、外国貿易船が開港の港へ入港するにあたって課せられる日本の税金です。課税標準は外国貿易船の純トン数に応じて決められています。所得課税には所得税や法人税があり、さらに資産課税には相続税や贈与税等があります。

図表12－4（1）　国税・地方税の税目・内訳

消費課税			
国税	地方税	国税	地方税
消費税	地方消費税	自動車重量税	軽自動車税
酒税	地方たばこ税	航空機燃料税	鉱産税
たばこ税	軽油取引税	石油石炭税	狩猟税
たばこ特別税	自動車取得税	電源開発促進税	鉱区税
揮発油税	ゴルフ場利用税	関税	
地方揮発油税	入湯税	とん税	
石油ガス税	自動車税	特別とん税	

［出所］財務省ホームページ「国税・地方税の税目・内訳」
http://www.mof.go.jp/tax_policy/summary/condition/001.htm（2013.8.8 アクセス）

図表12-4(2) 国税・地方税の税目・内訳

所得課税		資産課税等	
国税	地方税	国税	地方税
所得税	個人住民税	相続税・贈与税	不動産取得税
法人税	個人事業税	登録免許税	固定資産税
地方法人特別税	法人住民税	印紙税	都市計画税
復興特別所得税	法人事業税		事業所税
	道府県民税利子割		特別土地保有税
	道府県民税配当割		法定外普通税
	道府県民税株式等譲渡所得割		法定外目的税

　このような税を私たちは憲法に従い、「義務」として納めなければなりません。しかし、「義務」があるということは「権利」があるということです。実際、OECDの報告書は、納税者の権利として、次の項目をあげています。

・The right to be informed, assisted and heard
（税務情報の提供を受ける権利、税務手続上の支援を受ける権利、税務に関する意見を聴取してもらう権利）
・The right of appeal
（不服申立の権利）
・The right to pay no more than the correct amount of tax
（正しい税額のみを支払う権利）
・The right to certainty
（税務の確実性（予測可能性）に関する権利）
・The right to privacy
（プライバシーの権利）
・The right to confidentiality and secrecy
（納税者情報の守秘が確保される権利）

［出所］OECD租税委員会「税務行政一般原則－GAP002－納税者の権利と義務」

第12章　財政と租税（税金）

　どれも納税者の権利として、当たり前のことが書かれています。しかし、残念ながら日本においては、納税者の権利を保障する基本法が存在しておらず、上記の権利が十分に認められているとはいえない状況です。実際、政府税調によると、2009年末時点で、OECD加盟国の30カ国中、憲章を制定している国は24カ国であり、その中でもG7（アメリカ、イギリス、フランス、ドイツ、イタリア、カナダ、日本）では、日本とドイツのみが制定していないのです。つまり、現在、日本国民は憲法上、納税の「義務」を負っているけれども、法律上の「権利」は保障されていない状況となっているのです。

　そもそも課税対象、方法等を含む税に関する法律はどのように決まるのでしょう。一般的に、資本主義国で国家が財政活動（支出や課税）を行う場合、国会での議決が必要となります。もちろん、日本も例外ではありません。これを「財政民主主義」といいますが、この考え方は憲法83条に基づいています。「財政民主主義」は、広くとらえれば、納税者の権利保障の一つの制度的な形といえるかもしれません。

> 　国の財政を処理する権限は、国会の議決に基いて、これを行使しなければならない。

　税収を上げる第二の方策は、既存の税目の率をあげること（増税）でしょう。もう一度、先にあげた**図表12-4**を見ながら、どのような税があったか確認してみましょう。ここでは消費税について考えてみます。消費税は1989年4月1日に3％で開始され、1997年には5％に、さらに政府は景気が回復することを条件に2014年には8％（国税6.3％、地方税1.7％）に引き上げました。また、2015年10月に消費税10％へ引き上げる方針でしたが、景気動向をふまえ、18カ月延期（2017年4月に引き上げ）することを決定しました。その後政府は引き上げを30カ月（2019年10月に引き上げ）再延期することを決定しています。なお、消費税増税と同じタイミングで、法人税が1989年に40％、1990年に37.5％、1998年が34.5％、1999年が30.0％、2012年に25.5％と引き下げられているので、消費税増税と法人税減税はセットとして考えられています。そもそもこの8％という税率は、諸外国と比べると高いのか、それとも低いのでしょうか。みなさんどう思いますか。確かに、**図表12-5**からもわかるとおり、税率だけで比較すれば低いといえます。

図表12-5　主要国の付加価値税率

日本	アメリカ	イギリス	フランス	ドイツ	イタリア	ノルウェー	スウェーデン	フィンランド	オーストラリア	台湾
8%	*	20.0%	20.0%	19.0%	22.0%	25.0%	25.0%	24.0%	10.0%	5.0%

＊アメリカは州・都・市によって異なり、小売売上税が課せられている（例ニューヨーク州及びニューヨーク市の合計8.875％）

［出所］財務省ホームページ「付加価値税率（標準税率及び食料品に対する適用税率）の国際比較」http://www.mof.go.jp/tax_policy/summary/consumption/102.pdf（2019.1.16アクセス）より主要国を抜粋。日本については2019年1月時点の税率。

　実際、欧州諸国の税率は15％を超えています。しかし、諸外国の場合は軽減税率といって、生活必需品（食料品等）にかかる税率はかなり低く抑えられています。例えば、イギリスやオーストラリアでは食料品に対する税率はゼロです。日本は軽減税率を導入していないので、すべての品目に8％が課せられます。（2013年12月に決定した2014年度与党税制改正大綱では、軽減税率について「消費税率10％時に導入する」と明記されている）このように、消費税の税率を諸外国と比較する場合、軽減税率の有無や軽減税率の対象となる品目等を考慮に入れる必要があります。

　なお、消費税は、所得が多い人も少ない人も、同じ税率で課税される税制です。このことは、所得が少ない人ほど、所得に対する消費税の割合が高くなることを意味しています。つまり、所得が少ない人ほど、不利な税制であるといえるでしょう。一般的に所得が多い人ほど、多く税金を納めることを「累進課税」（日本では所得税や相続税が代表的）といいますが、消費税はその逆となるので「逆進税」といわれています。この逆進税を支持し、増税することが本当に国民にとってよいことなのか、また、税率を上げることで消費が抑えられ、結果として、税収が減ることはないのか、さらに徴収された税がどのように活用されていくか等について、私たちは納税者の立場から監視していく必要があります。

第13章　地方自治とは

―地方自治の核心的部分は「団体自治」と「住民自治」にあります―

1．中央集権と地方分権

　「中央集権」「地方分権」という言葉を聞いたことがありますか。中央集権とは、中央政府に権限や財源等が集中している状態のことをいいます。一方、地方分権とは、その反対に、権限と財源等が中央政府から地方政府に部分的にあるいはすべて移管されている状態のことをいいます。地方政府とは一般的に「地方公共団体」のことを指し、地方自治法（1条の3）では、以下のように地方公共団体を定義しています。

1条の3
1　地方公共団体は、普通地方公共団体及び特別地方公共団体とする。
2　普通地方公共団体は、都道府県及び市町村とする。
3　特別地方公共団体は、特別区、地方公共団体の組合及び財産区とする。

　日本の政治システムは、明治維新以降、中央集権的であったといえるでしょう。特に第二次世界大戦以降の経済復興においては、国家をあげて迅速かつ効率的に欧米諸国に追いつく必要があったため、中央政府がさまざまな分野（経済復興、インフラ整備、社会保障、教育等）において、主導的な役割を担いました。その結果、日本を短期的に先進国に引き上げることに成功したのです。当時の日本の成長にとって、中央集権体制は必要不可欠であったともいえるでしょう。しかし、社会が成熟するにつれて、中央集権体制は批判されていきます。なぜならば、中央の画一的な政策及び機動性の欠如は地方の多様なニーズを満たすためには不向きであり、さらに中央政府による強い関与は、都道府県や市町村が有する自治能力の衰退を招き、地方における質的な発展を妨げると考えられたからです。また、「中央」と「地方」は、本来対等であり、協調関係にあるはずですが、中央が地方を金銭面で支援する「補助金」および「交付税交付金」制度の強化等により、中央と地方の関係はまるで主従のような上下

関係になってしまったことも、中央集権体制が批判されるようになった一因です。

憲法は、92条で地方自治の基本原則、93条で地方公共団体の機関、その直接選挙、94条で地方公共団体の機能、95条で特別法の住民投票について規定しており、地方分権の尊重が謳われています。

92条の「本旨」とは、「団体自治」と「住民自治」の２つの要素で構成されていると考えられ、それぞれ94条と93条にあたります。第３章で触れられているとおり、「団体自治」とは、都道府県、市町村は中央政府から一応独立した統治組織として「自分たち団体のことは、自分たちで決める」という自己決定を尊重する考えです。「住民自治」とは、「自分たち団体のことは、そこに住んでいる住民が決める」という住民参加の方法や手続を尊重する考え方です。なお、この住民自治をより徹底させるために、地方自治法は住民に直接請求権を制度として認めています（図表13－1を参照してください）。

・地方公共団体の組織及び運営に関する事項は、地方自治の本旨に基いて、法律でこれを定める（92条）。
・地方公共団体には、法律の定めるところにより、その議事機関として議会を設置する（93条1項）。
・地方公共団体の長、その議会の議員及び法律の定めるその他の吏員は、その地方公共団体の住民が、直接これを選挙する（93条2項）。
・地方公共団体は、その財産を管理し、事務を処理し、及び行政を執行する機能を有し、法律の範囲内で条例を制定することができる（94条）。
・一の地方公共団体のみに適用される特別法は、法律の定めるところにより、その地方公共団体の住民の投票においてその過半数の同意を得なければ、国会は、これを制定することができない（95条）。

図表13-1　直接請求権の種類

請求権	要署名数	請求先	取扱い
条例の制定・改廃の請求（12①）	有権者の50分の1以上	長	長が議会にかけ、その結果を報告する。
監査の請求（12②）		監査委員	監査の結果を議会・長などに報告し、かつ、公表する。
議会の解散請求（13①）	有権者の3分の1以上（40万を超え80万以下の場合は40万を超える数に6分の1を乗じて得た数と、40万に3分の1を乗じて得た数とを合算して得た数）	選挙管理委員会	住民投票に付し、過半数の同意があれば解散する。
解職の請求（13②）　議員・長		選挙管理委員会	住民投票に付し、過半数の同意があれば職を失う。
解職の請求（13②）　副知事・副市町村長など		長	会議にかけ、3分の2以上の出席、その4分の3以上の同意があれば職を失う。

※（　）の数字は地方自治法の条項

　日本国憲法の地方自治に関する条文には、今後、日本の社会システムが、過度の中央集権体勢になるのを抑制する機能があると考えられます。しかし、地方分権についての規定はこの4つの条文のみであり、また、日本は戦後中央集権体制によって著しく発展してきた面があるので、真の意味での「地方自治」の実現には、今後多くの時間を要するのではないでしょうか。

　地方自治の促進にとって、よい傾向もあります。近年、特に1990年代、権限と財源等を地方に移管する「地方分権」の必要性が高まり、例えば、1993年には「地方分権の推進に関する決議」が行われ、翌1994年には「地方分権推進大綱」がまとめられました。1995年には「地方分権推進大綱」を基本とした「地方分権推進法」が成立、さらに1999年には「地方分権の推進を図るための関係法律の整備等に関する法律（地方分権一括法）」が成立し、「地方分権」に関する475もの法律が廃止または改正されることとなったのです。そのようななかで改正された法律の1つが、憲法92条に基づく「地方自治法」です。この地方自治法改正では、「機関委任事務制度」が廃止される等、国の関与が大幅に少なくなる一方、いくつかの規定が追加され、地方の自主性、自立性が

確保・拡大されることとなりました。

　なお、「機関委任事務」とは、法律や政令により、国などから都道府県知事・市町村長などの地方公共団体に委任される事務のことをいいますが、実際、多くの問題を抱えていました。例えば、首長は住民の選挙で選ばれたのにもかかわらず、「機関委任事務」の執行者として、国の指揮監督下に置かれ、その事務作業を行わなければなりませんでした。その結果、本来の首長としての業務に支障をもたらしていたのです。さらに、この機関委任事務は、地方公共団体の議会の関与が全く及びませんでした。このような背景もあり、地方自治法で規定されていたこの制度は、地方分権一括法により廃止されることとなり、具体的には、以下の条文が削除されました。

■**地方自治法**（改正前）■

・国の事務に係る主務大臣、都道府県知事の指揮監督権（150条）
・市町村長が処理する国又は都道府県の事務に係る都道府県知事の取消・停止権（151条1項）
・普通地方公共団体の長に対する職務執行命令（151条2項）

　現在、地方公共団体が処理する事務は、「自治事務」と「法定受託事務」の2つに整理されています。

■**地方自治法**（改正後）■

第2条〔1～7略〕
8　この法律において「自治事務」とは、地方公共団体が処理する事務のうち、法定受託事務以外のものをいう。
9　この法律において「法定受託事務」とは、次に掲げる事務をいう。
　(1)　法律又はこれに基づく政令により都道府県、市町村又は特別区が処理することとされる事務のうち、国が本来果たすべき役割に係るものであつて、国においてその適正な処理を特に確保する必要があるものとして法律又はこれに基づく政令に特に定めるもの（以下「第1号法定受託事務」という。）
　(2)　法律又はこれに基づく政令により市町村又は特別区が処理することとされる事務のうち、都道府県が本来果たすべき役割に係るものであつて、都道府県においてその適正な処理を特に確保する必要があるものとして法律又はこれに基づく政令に特に定めるもの（以下「第2号法定受託事務」という。）

2．道州制

　さて、ここでは、地方自治を促進するに当たり、その方策の1つとみられている「道州制」について考えていきます。道州制とは、日本全国をいくつかのブロックに分け、その単位で行政を行う制度のことをいいます。現行の都道府県をなくして道州—市町村という2階層性にするのか、都道府県を維持し、道州—都道府県—市町村という3階層にするのか、また、道州の位置づけを「国の行政機関」にするのか「地方公共団体」とするのか、その大枠は2013年8月現在決まっておらず、政府内また国民共通の了解も得られていません。さらに、先に述べたように憲法92条から95条まで地方公共団体について規定しているので、道州制が導入された場合、これらの条文の改正の必要性について、慎重かつ深い議論が求められます。

　そもそも「道州制」はどのような背景で議論が始まったのでしょうか。まず、近年の都道府県という域を超えた行政課題の増加があげられます。現行の「都道府県」制度は、明治維新以来約100年、現在に至るまで大幅な変更はありません。しかし、その間、産業・技術・交通機関等の発展は目ざましく、国民の生活圏・経済圏は拡大し続けています。そのため、都道府県単位では、行政課題を解決することが困難になってしまっているのです。

　また、地方自治や地方活性化の重要性が増していることも、道州制議論の背景として考えられます。地方分権については、先に述べたとおり、近年その高まりをみせており、法律等の改正によって、権限や財源等が中央から地方へ移行しつつあります。しかし、グローバル社会において、地方公共団体もまた、その渦中にいることを忘れてはなりません。例えば、観光振興は、地方活性化を促進する方策の1つとして考えられていますが、その競合相手はもはや国内都市ではなく、海外都市だからです。このような状況下においては、たとえ権限や財源等が中央から地方に移管されたとしても、地方公共団体が単独で競争に打ち勝っていくことは困難であるといえるでしょう。今以上に、グローバル競争に耐えうる財政や能力が必要になってきます。道州制は各地方自治体の資源を集め、より効果的に活用することで、グローバル社会の潮流に対応し、地方活性化を実現するものとして、期待されているのです。また、その際、各道州が東京と同程度の能力を有し、東京と差異化することができれば、日本における東京一極集中および過度の依存状況をも是正することができるかもしれま

せん。

　2015年4月現在、政府は地方活性化を掲げる「地方創生」に取り組んでおり、道州制の検討もその1つですが、道州制の導入をめぐっては、すでに以下のような課題が明らかになっています。

　まず、この道州制は、国と地方のあり方を根本的に変えることになるため、国、道州、都道府県（仮に存置した場合）、市町村の役割、権限等を、国民も含めて慎重かつ深く議論し、検討しなければなりません。いわば、社会的合意形成が必要になります。基本的には、国がリーダーシップを発揮すると同時に、各組織がいかに自律性を維持し、二重行政を排していくかが課題となるでしょう。このような合意形成は、多種多様な主体が参加することになるため、より複雑となり、さらに多くの時間と労力を必要とし、困難を伴います。

　また、道州は現在の都道府県単位よりも広域に設定されるので、住民のニーズを満たすサービスを都道府県に代わって（都道府県が存置しない場合）、道州が本当に提供することが可能なのかという問題もあります。自治単位が大きくなるがゆえに、道州内で生活する住民のニーズに対応することができるのか、もしできたとしても、そのニーズの多様性に応えることは難しいのではないかということです。もし、住民のニーズを満たすサービスを道州制が提供できなければ、住民の道州自治への参画は、今まで以上に遠ざかることでしょう。

　道州内の中心都市に人口や産業が集中することも予想されます。このことは、「中心都市以外の地域」のアイデンティティの消失を招くおそれがあり、それらの地域に対して財源が適切かつ効果的に活用されなければ、中心都市との地域間格差が生じ、その格差が拡大していく可能性があります。道州制のもと、各地域が発展していくには、既存の地域の特性と道州のアイデンティティとの適合性を図ると同時に、その他の地域との徹底的な差異化が必要になるでしょう。

　本章のテーマである地方自治を実現する方策の1つとして、道州制問題は今後、国民の関心を高めながら議論が深まっていくものと考えられます。

第14章　憲法保障と憲法改正

―主権者として、主権者になる者として、
日本国憲法を理解していくことが出発点です―

「憲法保障」という言葉はあまり聞きなれないかもしれません。これは反憲法的な政治的権力が現れたとしても、最高法規としての憲法の規範内容を守ろうとする制度です。憲法のなかにどのようなものが制度化されているのか考えてみたいと思います。

そしていま、主権者として大きく問われている憲法改正についてもふれておきます。憲法改正の時に知っておくべきこと、問われること、考えておかなければならないこと、そして改憲手続とその問題点をみていきましょう。

1．憲法保障とは

憲法は「この憲法は、国の最高法規であつて、その条規に反する法律、命令、詔勅及び国務に関するその他の行為の全部又は一部は、その効力を有しない。」（98条1項）と、憲法が最高法規であることを規定しています。国会は憲法違反の法律はつくることができず、権力をもった者たちは憲法に違反する行為もできません。しかし手続さえ踏めば、多数の意見こそ正義と違憲の内容の法律をつくり、国民により選ばれた国会議員ゆえに制限なく自由に行動してよいとすると、憲法は"絵に書いた餅"となり、その最高法規性は"もぬけの殻"になってしまいます。そこで憲法はあらゆる状況を想定し、憲法秩序のなかに、さまざまな予防手段として、憲法の崩壊を回避する装置を設けています。これが「憲法保障」です。憲法保障には、憲法のなかに規定がある事前と事後の「憲法内の保障」と、非常事態に対して憲法のなかには規定がないけれども憲法秩序をこえてもなお守ろうとする「憲法外の保障」とがあります。

(1) 事前の保障制度

「憲法内の保障」の事前保障制度として、憲法尊重擁護義務（99条）や、憲

法改正が簡単にできないように厳しい手続要件で縛る硬性憲法の規定（96条）があります。

「天皇又は摂政及び国務大臣、国会議員、裁判官その他の公務員は、この憲法を尊重し擁護する義務を負ふ。」（99条）とします。憲法には憲法尊重擁護義務がある人たちは、これまで歴史的に憲法を壊す、脅かす存在であり、したがって、憲法尊重擁護義務の主体として明確に規定されています。しかしこのなかに国民はありません。「おやっ」と思われるかもしれませんが、その理由は国民が憲法をつくり（民定憲法）、憲法尊重擁護義務者に憲法を守らさせるよう要求する存在だからです。

さらに権力分立制、議院内閣制、二院制の規定などもあげられます。権力分立制は、権力を三権（立法権、行政権、司法権）に分け、権力の一極集中を避け、相互の抑制と均衡（チェック・アンド・バランス）を作用させて、国民の権利や自由を守る制度です。議院内閣制は、議会と政府を一応分離した上で議会により政府を民主的にコントロールするシステムです。内閣の国会に対する連帯責任（66条3項）、内閣総理大臣の指名権（67条）、衆議院の内閣不信任決議案提出権（69条）、などです。衆議院と参議院による二院制によって、他院の軽率な行為・過誤をもう一方の院が回避させること、衆参同日選挙でなければ、時間的に多元的な民意が反映するメリットもあります。衆議院は「数の政治」、参議院は「理の政治」といわれます。

（2）事後の保障制度

「事後の保障制度」としては違憲審査権があります。「最高裁判所は、一切の法律、命令、規則又は処分が憲法に適合するかしないかを決定する権限を有する終審裁判所である。」（81条）とし、裁判所に違憲審査権を認めています。憲法は、「国会は国民の代表者である国会議員によって構成され、その国会議員が正しいと判断してつくった法律であれば、それは最終的に国民がつくった法律だから問題はない」とは考えていません。多数で決めたら多数が不幸になること、多数で決めたら一部の人だけが不幸になることもあり、憲法はそれを抑止しようとするのです。この違憲審査権が広く世界に広がったのは、第二次世界大戦後です。この戦争の発端でもあるドイツにおけるナチズムの台頭により、議会立法が人権を侵害するようになったことへの反省がありました。当時、比例代表制を導入した民主的な憲法といわれたワイマール憲法の下で、ヒト

ラー率いるナチ党は次第に議席を拡大し、ヨーロッパを恐怖に陥れたのです。「民主主義は、民主主義を破壊する勢力まで誕生・成長させ、正当化させていく」、その歴史的教訓を忘れてはなりません。

違憲審査権は人の支配ではなく、憲法原則に基づいた「法の支配」の実現のために制度化されたものです。もしも国会が国民主権や基本的人権、平和主義を脅かす法律をつくったとき、行政が違憲行為を行ったとき、法の番人である裁判所の出番となるわけです。しかし、この審査権は対象となる訴訟に具体性がないと発動されず、万能ではありません。最終的には国民自身が選挙によって意思表明をして、国の行動を正していくことになります。国民一人ひとりが主権者として、憲法を基準として、国がすすむべき方向を正しく判断できるかどうかが鍵となっているのです。

(3) 条文にない「憲法外の保障」

憲法のなかに規定がないものとしては、「抵抗権」があげられます。「抵抗権」とは国家権力が人間の尊厳を侵す重大な不法行為を行った場合、国民自らが権利・自由を守るため、他に合法的な救済手段が不可能になったとき、抵抗する行為です。抵抗権の本質は非合法的なところにあり、日本国憲法がそれを認めているかどうかは争いのあるところですが、憲法は自然権を実定化したものと解され、圧政に対する抵抗の権利として承認され得るとも考えられます。

もう一つは「緊急事態条項（国家緊急権）」です。非常事態時において国家の存立を維持するために、国家権力が立憲的な憲法秩序を一時停止して非常措置をとる権限です。戦争や内乱、大規模な自然災害など国家存亡の危機に体制の維持をしようとする強権発動で、憲法を破壊する危険も大きいことから、日本国憲法には名文規定はありません。

2．憲法改正とは

憲法改正とは、憲法の条文を憲法改正手続にしたがい、修正や削除、追加することをいいます。改正するためには以下のような手続が必要です。

96条1項は「この憲法の改正は、各議院の総議員の3分の2以上の賛成で、国会が、これを発議し、国民に提案してその承認を経なければならない。この承認には、特別の国民投票又は国会の定める選挙の際行はれる投票において、

その過半数の賛成を必要とする。」、また96条2項は「憲法改正について前項の承認を経たときは、天皇は、国民の名で、この憲法と一体を成すものとして、直ちにこれを公布する。」と定めています。

　国会の憲法改正の発議、国民の承認という一般の法律の制定よりも要件が厳しいことから、硬性憲法といわれます。

(1)　憲法改正に限界はあるか

　次に憲法改正には限界があるのかが問題になります。大きく二つの考え方があります。憲法改正は無限界にできるとする無限界説と、限界があるとする限界説です。無限界説は、①全能の憲法制定権力を有する国民は憲法改正を無限定にできる、②憲法改正手続によればいかなる条項でも改正できる、と考えます。この立場にたてば、国民主権原理の縮小、基本的人権の制限、軍隊の創設も可能ということになります。

　これに対して限界説は、①憲法の同一性・継続性を損なう改正は許されない、②憲法の基本原理を改正手続によって改正することは憲法の自殺、③憲法制定権力をも拘束する根本規範が前提としてあり、憲法改正権には前提の根本規範まで変更することは認められない、と考えます。この理解によると、国民主権や基本的人権の尊重などこれまで歴史的に勝ち取られ、普遍化された近代立憲主義の原理は、憲法改正によっても変えることができないということになります。

　みなさんはどちらの考え方を支持されますか。憲法学説の多くは、改正には限界があるという考えをとっています。近代憲法の原則、すなわち「憲法は権力者を縛るもの」という大原則を、国民を縛る憲法に改め、基本的人権を制限することは許されないとするのです。「この憲法が国民に保障する基本的人権は、侵すことのできない永久の権利として、現在及び将来の国民に与へられる。」(11条)との規定からも、憲法を改正しても基本的人権を侵すことはできないとします。

　もちろん、憲法自身が憲法改正を制度として内にもっている以上、改正が否定されるわけではありません。憲法改正に限界があることをふまえ、社会の進展に合わせて、人権保障をより重厚なものにしていくため条文を改めていくこと、統治機構の規定をさらに平和と民主主義を進化させるという方向での憲法改正の可能性は認められていいでしょう。

（2） 憲法改正国民投票法とは

憲法の改正は96条で、①各議院の総議員の3分の2以上の賛成で国会が発議し国民に提案、②特別の国民投票又は国会の定める選挙の際行われる投票で過半数の賛成を必要とする、という手続を必要としています。この発議と国民投票について定めたものが、「日本国憲法の改正手続に関する法律」（いわゆる「憲法改正国民投票法」）です。国会議員が憲法改正原案の発議をするには、衆議院では100人以上、参議院では50人以上の議員の賛成が必要です。国民投票の実施の手続は、①投票期日は国会の発議後60日から180日以内、②投票権者は18歳以上の日本国民、③改正原案が発議されたら、両議院の議員各10人による国民投票広報協議会を設置し、公報の原稿の作成など国民に対する広報を行う、④改正案に賛成あるいは反対を○で囲んで賛否を表す国民投票のその有効投票の過半数で可決される、という流れになっています。最低投票率の定めはありません。国民投票運動は原則自由ですが、選挙管理委員会職員や公務員、教育者は一定の制限がかかります。投票日前14日間はテレビ・ラジオのスポットＣＭは禁止され、政党などの運動についてはテレビ・新聞広告を通じた賛否平等となるような制度が設けられることになっています。

（3） 憲法改正国民投票法の問題点
① 憲法改正案についての表現・言論の自由の保障が不十分

国会の発議から投票までの期間が60日から180日以内となっていますが、国民が憲法改正案を理解するためには十分な時間ではありません。またテレビ番組やＣＭによるイメージだけでは冷静に判断して投票することは難しいでしょう。最低でも1年以上の期間は必要です。また一部の公務員や教育者には国民投票運動についての規制があり、「影響力又は便益を利用して」という抽象的な文言に縛られるため、「後で処分されるのは嫌なので、やめておこう」と憲法改正に関する表現・言論が萎縮させられてしまうかもしれません。

② 資金力による影響力の差がでる

資金のある側は有料広告を使えることから、資金力の差で世論の形成が左右されることが危惧されます。憲法改正という「この国のかたち」にかかわることに、お金持ちの意見が影響をもつことは公平ではありません。また、前述のとおりテレビ・ラジオのスポットＣＭは投票日前14日間は禁止とされていま

すが、このような制限も撤廃されるべきです。
　③　最低投票率の定めがない
　最低投票率制度とは、あらかじめ定めておいた投票率に達しなかった場合に、国民投票を不成立とする制度です。国民は主権者であり、憲法改正案の是非を最終的に決定する力を有していることから、国民投票の投票率が低い場合、国民の意思が十分に明確でなく、憲法改正の正統性に疑問が生じたとして不成立にするのです。しかし、憲法改正国民投票法には最低投票率の定めがありません。投票率が低かった場合でも、ごく少数の賛成意見で改正が成立してしまうことになります。投票率20％だったならば、その過半数の10％の賛成で憲法改正が行われることになります。
　憲法改正に「賛成しない」意思の表明は、投票のボイコットや無効票で示すこともできますが、憲法改正国民投票法は有効投票に限定し、そのなかでの過半数の賛成票で是としており、国民の意思が反映される法律とは到底いえません。

（4）　憲法改正の動きの中で
　「日本を取り巻く環境の変化に憲法が適合できず、現実とかい離している」「欧米では頻繁に憲法改正が行われており、日本でも憲法を改正すべき」「自衛隊を憲法に明記すべき」というような政治的要求が強まっています。しかし、欧米諸国における憲法の改正は、細かい手続などの規定を憲法に盛りこみ、その上で行われており、国の理念やあるべき姿を変えているわけではありません。
　日本ではとくに、9条の改正が問題となります。「平和主義原理の基本的な部分は変えてはならないが、個々の小さな変更までは否定はされない」という主張です。たとえば9条の2を加え、自衛隊を明記すべきとする考えです。しかし、本書第6章の「日本国憲法がめざす平和主義」（64ページ～73ページ）でもふれたように、戦力をもたない平和主義もまた、国民主権や基本的人権の尊重という三位一体の基本原理の一つであり、憲法改正の限界として、変えてはならないものと考えます。
　外国からの武力攻撃や大規模災害時に、政府への権限集中や私権制限を含めた「緊急事態条項」も検討されています。これは憲法の原則である権力分立と人権保障を停止し、政治の独裁と際限のない人権制限をもたらす憲法停止条項です。緊急事態と政府が宣言し続ける限り、時の政権を自由に延命でき、民意

を問う機会を奪い、国民主権侵害の危険性があります。

　また96条を先行して改憲し、各議院の総議員の3分の2以上の賛成という要件を各議院の総議員の「過半数以上」に変えようとする動きもあります。しかし過半数としてしまうと、法律と同じような手続で、その時々の政権与党の便宜や恣意的な考えによって改正は容易となり、憲法で権力を縛る立憲主義が崩されていくことになります。諸外国の憲法改正規定を見ても、アメリカでは連邦議会上下両院の3分の2以上の議決と50州の4分の3以上による承認、フィリピンでは議員の4分の3以上の議決と国民投票が要件とし、ベラルーシでは、議会の3分の2以上の議決を2回と国民投票が必要としています。

　憲法改正は、他の法律や社会制度に大きな影響を与え、「この国のかたち」を変えるものです。憲法改正案を十分に理解し、改正後の自分の生活、人権がどのように変わるのかをイメージしてみることがだいじです。そのためには、主権者として（主権者となる者として）、今の「日本国憲法の精神と内容」の理解からはじめる必要があるのです。

参考図書
・杉原泰雄　編『新版　体系　憲法辞典』青林書院、2008
・伊藤真『憲法問題　いまなぜ改憲なのか』（ＰＨＰ新書）、ＰＨＰ研究所、2013

第15章 「平等・発展・平和」と日本国憲法

1．日本国憲法と重なって
―日本国憲法の理念は、「平等・発展・平和」という人権の価値にみごとに重なります

　平等（equality）、発展（development）、平和（peace）――この文言は、国際女性年（1975年）とそれに続く「国連女性の10年」（1976～1985年）において一貫して掲げられたスローガン（標語）です。その10年の中の1979年、「女子に対するあらゆる形態の差別の撤廃に関する条約」（女性差別撤廃条約）が国連総会において採択されました。日本国の批准は1985年です。国連の、この国際的な取り組みは、日本国憲法の人権の理念にみごとに重なります。平等なくして発展も平和もなし、発展なくして平等も平和もなし、平和なくして平等も発展もなし、というようにこの三者は密接につながっています。三位一体といってもいいでしょう。

　発展を幸福追求権ととらえて、憲法流に言い換えてみると、平等権なくして幸福追求権も平和的生存権も保障されない、幸福追求権なくして平等権も平和的生存権も保障されない、平和的生存権なくして平等権も幸福追求権も保障されない、ということになるでしょうか。天皇大権の大日本帝国憲法の戦争国家への反省からもこれは指摘できます。女性に参政権を認めない排除や不平等が男性優位の戦争国家をつくり上げ、個人の幸福追求を根こそぎ奪ってしまったこと、個人として尊重されず、国家のための"潔い"戦死が名誉とされ、戦争反対者や戦争に行けない病気や障がいのある人は「非国民」と差別され殺されてしまったこと、戦争遂行のため、すべてが軍事最優先とされて、個人が戦争国家全体の犠牲となってしまったこと、…こうした悲惨な現実を生じさせたのです。

　憲法の前文（平和主義）、9条（戦争の放棄、戦力の不保持、交戦権の否認）、13条（個人としての尊重、生命権・自由権・幸福追求権の最大の尊重）、14条（法の下の平等）を取り上げてみると、それらはあらためて「平等・発展・平和」のスローガンに重なることが分かります。

2．重要な国際年との関連での憲法理念の理解
―いくつかの重要な国際年との関連で憲法理念への理解を深めていく必要があります

（1）　子ども・障がいのある人・高齢者

　1975年「国際女性年」、「国連女性の10年」（1976～1985年）以後も、もちろんそれ以前も、国連は人権に関わる問題についての国際年あるいは「10年」を設定し、国際的な取り組みを推進して着実に成果を上げてきました。そのいずれもが一つひとつ重要な意味をもっており、すべて取り上げたいのですが、ここでは、いくつかに絞って紹介することにします。

　1979年は国際児童年で、「わが子への愛を世界のどの子にも」という目標が掲げられました。そしてこの後10年、1989年に「児童の権利に関する条約」（子どもの権利条約）が国連総会において採択されました。日本国の批准は1994年です。

　1981年は国際障害者年で、「完全参加と平等」という目標が掲げられました。それに続く1983～1992年が「国連・障害者の10年」、さらにまた続く1993～2002年が「アジア太平洋障害者の10年」（ESCAP［国連アジア太平洋経済社会委員会］決議）でした。1981年の国際障害者年に先立って1979年、国連総会は「国際障害者年行動計画」を策定・採択しました。この行動計画の一節は「…ある社会がその構成員のいくらかの人々を閉め出すような場合、それは弱くもろい社会なのである。…」と、差別の本質をみごとに衝いています。「差別あるところに個人の幸福追求も社会の発展もなく、閉じられた社会は圧力で同質性を維持し、暴力で異質性を徹底的に排除していく。これは一見、強そうだが、じつは足元から（内側から）崩壊していく"もろさ"をもっている。」――このことを見抜いたのです。

　1999年は国際高齢者年でした。国際高齢者年に先立って1991年、「高齢者のための国連原則―人生を刻む年月に活力を加えるために―」が掲げられました[1]。高齢期に必要で欠かせないものとして、「独立、参加、ケア、自己実現、尊厳」の5項目が上げられています。この5項目はそのまま、人権保障の具体的な内容となっています。人種差別と闘う国際年（1971年）、国際青年年（1985年）、世界の先住民の国際年（1993年）とあわせて、あらためて、女性、子ども、障がいのある人、高齢者の「国際年」を並べてみると、「いかなる差別もなしに」

という人間の尊厳が、人生のどの段階においても、また、それぞれの個人の固有性（人種、民族、多様な性、障がいなど）の面においても貫かれていくべきである、との「主張」がみえてきます。

(2) 寛容・人権教育・平和

「国際年」について、また別の角度から取り上げてみましょう。1995年は国際寛容年でした[※2]。1993年の国連総会において1995年を国際寛容年とすることが正式に採択されましたが、その採択理由に「寛容…他者を認め尊重すること、共に生き、他者に耳を傾ける能力…はあらゆる市民社会と平和の強固な基盤であることを確信し、」という一節があります。不寛容が差別を生み、個人の幸福追求や社会の発展を阻害し、暴力で問題を解決しようとする方向性や雰囲気、文化をつくりだしていきます。寛容は、「平等、発展、平和」にとって欠かすことのできない具体的な理念でもあり、また方法でもあります。

1995～2004年の10年間は「国連人権教育の10年」（人権教育のための国連10年）でした[※3]。人権文化の構築、がキーワードでした。その国連決議は「…人権教育は単なる情報提供にとどまるものではない。人権教育とは、あらゆる発達段階の人々、あらゆる社会層の人々が、他の人々の尊厳について学びまたその尊厳をあらゆる社会で確立するための方法と手段について学ぶための生涯にわたる総合的な過程であることを国連総会は確信している」「また、あらゆる年齢の女性および男性の尊厳と両立しうる発展の概念に人権教育が寄与すべきことをも確信するものである。そのなかには、子ども・先住民族・マイノリティ・障害者など社会を構成する多様な人々への配慮が含まれなければならない」としています。そして1994年に国連総会によって策定され採択された行動計画は、人権教育について「知識と技術の伝達及び態度の形成を通じ、人権という普遍的文化を構築するために行う研修、普及及び広報活動」と定義しました。そして、人権教育が指向すべき内容として、次の5点を掲げました。①人権と基本的自由の尊重の強化、②人格および人格の尊厳に対する感覚の十分な発達、③すべての国家［人民］、国民、先住民、および人種的、民族的・種族的、宗教的および言語的集団の間の理解、寛容、ジェンダーの平等ならびに友好の促進、④すべての人が自由な社会に効果的に参加できるようにすること、⑤平和を維持するための国連の活動の促進、です。人権教育がめざす人権文化の構築にとっても、目的として、また具体的な達成の方法として「平等・

発展・平和」が欠かせないものとして組みこまれているのです。

　2000年は「国際平和の文化年」で、それに続く2001～2010年が「世界の子どもたちの平和と非暴力の文化国際10年」でした。これに先立って1999年、国連総会は「平和の文化に関する宣言」を決議しました[※4]。この宣言は、平和について「平和は単に争いがないというだけでなく、対話がはげまされて争いが相互理解と協力の精神で解決される、積極的で力強い参加の過程をふくむものであることを認識し…」と述べます。そして宣言1条は平和の文化について、「教育や対話、協力を通して生命を尊重し、暴力を終わらせ、非暴力を促進し、実践すること」「すべての人権と基本的な自由を十分に尊重し、その促進をすること」「発展の権利を尊重し、その促進をすること」等と打ち出しています。これらもまた、「平等・発展・平和」の理念とみごとに重なり、平等・発展・平和への具体的な方法となっています。

3．発展の権利
―発展の権利(Right to development)は、譲ることのできない人権です

　憲法13条の「個人としての尊重、生命権・自由権・幸福追求権の最大の尊重」は、言葉を換えると、「発展の権利」です。発展の権利は現在、国際人権としても広まり、その保障に向けた取り組みが強められてきています。1986年、国連総会は「発展の権利に関する宣言」を採択しています[※5]。この宣言もまた、発展の権利を「平等・発展・平和」の三位一体の関係なかに、しっかりと位置づけます。宣言1条1項は「発展の権利は、譲ることのできない人権である。この権利に基づき、それぞれの人間及びすべての人民は、あらゆる人権及び基本的自由が完全に実現されうるような経済的、社会的、文化的及び政治的発展に参加し、貢献し並びにこれを享受する権利を有する。」と謳います。そして6条1項は「すべての国家は、人種、性、言語及び宗教によるいかなる差別もなしに、すべての者のために、あらゆる人権及び基本的自由の普遍的な尊重及び遵守を助長し、奨励し及び強化する目的で、協力するべきである。」とし、差別の禁止のなかで人権が伸張されるべきことを明らかにします。そして、7条は「すべての国家は、国際の平和及び安全の確立、維持及び強化を促進すべきである。この目的のために、すべての国家は、効果的な国際管理の下における全面完全軍縮を達成し、並びに効果的な軍縮措置によって解放される資源が包括的発展、とりわけ発展途上国の包括的発展のために用いられるように、最

善を尽くすべきである。」と述べます。国家は軍縮を進めるべきであり、軍備縮小によってもたらされる資源を発展のために利用し、平和及び安全の確立につなげていくよう最善を尽くこと、を訴えかけるのです。

日本国憲法が保障するさまざまな人権を、人権としての発展（発展の権利）との関連で理解し、強化していくことがだいじです。

4．「婦選は鍵なり」
――「婦選は鍵なり」をより普遍的なものとし、活用させていきましょう

（1）女性参政権

「婦選は鍵なり」――婦選とは婦人選挙権のことです。現在の表現では、女性参政権です。19世紀後半から1920年代ころの女性運動（第一波フェミニズムといわれます）にとっての最重要課題が女性の参政権獲得だったのです。市川房枝さんたちを中心に婦選獲得運動が進められました。婦人参政権によって女性議員を選出し、議会での立法活動を通じて法律上の女性差別を正し、女性解放をめざす必要が主張されました。この運動の合い言葉が「婦選は鍵なり」だったのです。日本における女性の参政権は戦後、1945年に実現し、実際に1946年4月10日の総選挙のときに初めて行使されました。男性の参政権の後、21年を経過していました。ちなみに、第二波フェミニズムの展開は1960～70年代にかけてです。人工妊娠中絶の違法性から合法化へという問題も大きく取り上げられました。「個人的な問題は、政治的な問題である」というスローガンのもと、政治的・経済的な不平等の是正だけではなく、男性と女性の関係のなかに存在する権力性"支配と服従"を洗い出そうとする運動でもありました。第三波フェミニズムは1980～1990年代あたりです。セクシュアル・ハラスメントやDVなど、男性による女性への暴力が問題となりました。国連総会においても1993年、「女性に対する暴力撤廃宣言」が採択されました。1999年には国内でも「男女共同参画社会基本法」が成立・施行され、その動きや取り組みは各自治体へも確実に広がっていきました。

なお、女性参政権促進の条件整備に関しては「政治分野における男女共同参画の推進に関する法律」（略称：候補者男女均等法、2018年5月23日公布・施行）があります。この法律は、日本が、女性の議会進出に関して女性の数が少ないという、女性の政治的「過少代表」状況にあり、これを是正するために、国会や地方議会の議員選挙において男女の候補所者数をできる限り均等とする

ことをめざすものです。政党や自治体には「女性の政治参画」を促すための努力義務が課されています。

　婦選は鍵なり、は婦人参政権獲得運動の中から出てきたものですが、あらためて現在、その言葉の意味や内容はより広くより深く理解されていく必要があります。「参政権は鍵なり」です。それでは、何ための鍵か…。それは政治を変え、社会を変えていく鍵です。鍵は使わなければ（棄権してしまうと）、「とびら」は開きません。とびらが開かれなければ、前に進むことはできません（閉じこめられたままです）。国民が変われば政治が変わる、政治が変われば政策が変わる、政策が変われば人権保障の強度が変わる、ということです。つまり、人権保障の度合いが強いか・弱いかは、順にさかのぼってつきつめると、けっきょくは、最終的には１点、国民――選挙権をもつ主権者（有権者）――のあり様にかかっている、ということです。政治への関心、人権への認識、憲法政治への問題意識を国民――有権者――がどう保持しているのか、それをどのような「鍵」（選挙権）として使うのか、ということです。

　憲法は国家権力を縛り、国民の権利や自由を守るものです。しかし、究極的には、参政権を通じて代表者を選出して国家権力を形成するのは、国民――有権者――ということになるのです。国民は憲法で国家権力を拘束しますが、その"暴れる怪獣"の国家権力の作成者も、また「国民」――有権者――自身ということなのです。

（２）　真の「有権者」になること

　女性の権利として、平等権として獲得がめざされた「女性参政権」ですが、鍵という意味や内容の重さは、現在もまったく変わっていません。それどころか、ますます重要度を増しています。「婦選は鍵なり」を「参政権は鍵なり」に発展させ活用していくことが、日本国憲法に活力を与え、立憲的意味の憲法（立憲主義的憲法）としての性質をより鍛えていきます。「国権」（国家権力）と「人権」（人間の権利）との間で、「国民」――有権者――が政治や社会をどのようにつくり出そうとするのか、参政権はそのための、まさに「鍵」となっているのです。憲法改正の議論や動向は、日本という「国のかたち」や国のしくみを「国民が国家権力を縛り、国民の権利や自由を守るもの」として考えるのか、それとも「国家権力が国民を縛り、統治のために国民に義務を課すもの」と構想するのか、その態度決定を迫られる重要な選択場面に向かっていきます。

憲法改正のための国民投票（憲法96条）は、国民主権の参政権が最大限に試される最終的な"決定戦"としての性質を有しています。

「主権者であること」から「主権者になること」——日本国憲法の精神と内容を学ぶ者の一人として、また国政（国の政治）のあり方を最終的に決定する参政権を有する国民の一人として、真の「有権者」となっていくことが、今、強く求められています。

※1　井上英夫「'99国際高齢者年の課題—独立、参加、ケア、自己実現、尊厳」自治体問題研究所編『住民と自治　1999年9月号　通巻413号』自治体研究社、1999、17ページを参照のこと。
※2　藤田秀雄訳「国際寛容年」堀尾輝久／河内徳子編『平和・人権・環境　教育国際資料集』青木書店、1998、442～443ページより引用した。
※3　人権教育のための国連の10年の国連決議については、森　実訳「人権教育のための国連の10年」前掲『平和・人権・環境　教育国際資料集』451～454ページ、また行動計画については、外務省人権難民課仮訳「人権教育のための国連の10年（1995年～2004年）行動計画」同『平和・人権・環境　教育国際資料集』454～472ページより引用した。
※4　平和の文化に関する宣言については、平和の文化をきずく会のホームページに2013年1月18日アクセスし、そこより引用した。
※5　発展の権利に関する宣言（発展の権利宣言）については、国際女性法研究会編『国際女性条約・資料集』東信堂、1993、267～269ページより引用した。

参考図書
・赤松良子監修／国際女性の地位協会編『新版　女性の権利　ハンドブック女性差別撤廃条約』（岩波ジュニア新書）、岩波書店、2005
・ねりま24条の会編『写真とイラストで学ぶ　ジェンダーからみた日本女性の歴史』明石書店、2005
・加藤秀一／石田仁／海老原暁子著『図解雑学　ジェンダー』ナツメ社、2005
・角田由紀子『性と法律—変わったこと、変えたいこと』（岩波新書）、岩波書店、2013

おわりに

　いかがでしたか。本書を通して、日本国憲法の意義、また条文の意味や解釈についての考えを少しでも深めていただけたならば、執筆者として幸いです。

　ページの都合上、本書で取り上げることができなかった憲法問題や人権問題も多々ありますが、私たち執筆者はそれぞれにおいて、さまざまな視点から、何といっても「分かりやすさ」を第一に、日本国憲法からのメッセージとして語ってまいりました。

　とりわけこれからの時代の主権者として、知っておく必要があること、立ちどまってしっかりと考えてみるべき点は基本的におさえたつもりです。前半部分ではおもに日本国憲法誕生の背景や基本原理――国民主権、基本的人権の尊重、平和主義――、後半部分ではそれらの基本原理に基づき、暮らしに深く関わる国会、内閣、裁判所、地方自治、財政、租税等のしくみやはたらきについて、具体的な事例を示しながら述べてまいりました。

　日本国憲法は「この国のかたち」の基本構造を定める国家の基本法であり、私たちが個人として尊重され、権利と自由をもって生活することができる、すべての基盤となるものです。

　いま主権者である、またこれから有権者となられるみなさんに、ぜひ本書を通して理解されたこと、考えられたことを活かして、「この国のかたち」づくりに、当事者としての意識と姿勢、意欲をもって参画していただきたいと執筆者一同願っております。

　最後になりましたが、本書【改訂新版】の刊行にあたっても、法律情報出版株式会社の林　充氏には真摯に対応いただき、また多くの有益な御助言と御提案をいただきました。ここに執筆者を代表して心より御礼を申し上げます。

　2019年3月　春へと移っていく景色をやさしく感じる日に
　　　　　　　　　　　　　　　執筆者を代表して　　福岡　賢昌

Words & Phrases

1. 憲法とは何か
- 日本国憲法：The Constitution of Japan
- 大日本帝国憲法：The Constitution of the Empire of Japan
- 立憲主義：Constitutionalism
- 国家権力：Power(s) of the state
- 国民の権利：Rights of citizens

2. 日本国憲法はこうして生まれた
- ポツダム宣言：Potsdam Declaration
- 降伏：Surrender
- マッカーサー草案：The MacArthur draft
- GHQ（連合国軍最高司令官総司令部）：General Headquarters
- 民定憲法：Democratic constitution

3. 日本国憲法の基本原理
- 国民主権：Popular sovereignty
- 基本的人権の尊重：Respect for fundamental human rights
- 平和主義：Pacifism

4. 基本的人権の種類と内容
- 法の下の平等：Equality under law
- 自由権：Civil liberties
- 参政権：Right to vote
- 国民の義務：Duties of the people
- 健康で文化的な最低限度の生活を営む権利：Right to maintain the minimum standards of wholesome and cultured living

5．日本国憲法の精神と環境権
　■原子力発電所：Nuclear power plant
　■放射能：Radioactivity
　■環境権：Environmental rights ／ Environmental quality rights

6．日本国憲法がめざす平和主義
　■第9条：Article 9
　■戦争の放棄：Renunciation of war
　■自衛隊：The Self-Defense Forces
　■国際貢献：International contributions
　■集団的自衛権：Right to collective self-defense

7．国民主権とは
　■天皇主権：Imperial sovereignty
　■象徴天皇制：Symbolic emperor system
　■投票率：Voter turnout
　■選挙制度：Election system
　■最高決定権たる主権：Highest right to deal with sovereignty

8．国家権力の分立
　■三権分立：Separation of the three powers
　■立法権：Legislative power
　■行政権：Administrative power
　■司法権：Judicial power

9．国会のしくみとはたらき
　■国会：National Diet
　■衆議院：House of Representatives
　■参議院：House of Councillors
　■立法：Legislation

Words & Phrases

10. 内閣のしくみとはたらき
- 内閣：Cabinet
- 内閣総理大臣：Prime Minister
- 大臣：Minister
- 議院内閣制：Parliamentary cabinet system
- 衆議院の解散：Dissolution of the House of Representatives

11. 裁判所のしくみとはたらき
- 裁判所：Court
- 最高裁判所：Supreme Court
- 裁判官：Judge
- 違憲審査：Constitutional review
- 裁判員制度：Lay judge system

12. 財政と租税（税金）
- 国家予算：National budget
- 税金：Tax（消費税：Consumption tax、法人税：Corporate tax）
- 負債：Debt
- 累進課税：Progressive taxation
- 所得：Income

13. 地方自治とは
- 地方自治体：Local government
- 地方自治：Local autonomy
- 地方分権：Decentralization of authority
- 中央集権：Centralization of administrative power
- 道州制：Wider-area local government system

14. 憲法保障と憲法改正
- 憲法改正：Constitutional amendment
- 国民投票：Referendum
- 総投票の過半数の賛成：Affirmative vote of a majority of all votes

15.「平等・発展・平和」と日本国憲法
- ■国際連合（国連）：United Nations
- ■女性差別撤廃：Elimination of discrimination against women
- ■批准：Ratification
- ■人権：Human rights
- ■男女共同参画：Gender equality

第九章　改正

第九十六条〔憲法改正の発議、国民投票及び公布〕この憲法の改正は、各議院の総議員の三分の二以上の賛成で、国会が、これを発議し、国民に提案してその承認を経なければならない。この承認には、特別の国民投票又は国会の定める選挙の際行はれる投票において、その過半数の賛成を必要とする。

② 憲法改正について前項の承認を経たときは、天皇は、国民の名で、この憲法と一体を成すものとして、直ちにこれを公布する。

第十章　最高法規

第九十七条〔基本的人権の由来特質〕この憲法が日本国民に保障する基本的人権は、人類の多年にわたる自由獲得の努力の成果であつて、これらの権利は、過去幾多の試錬に堪へ、現在及び将来の国民に対し、侵すことのできない永久の権利として信託されたものである。

第九十八条〔憲法の最高法規性と条約及び国際法規の遵守〕この憲法は、国の最高法規であつて、その条規に反する法律、命令、詔勅及び国務に関するその他の行為の全部又は一部は、その効力を有しない。

② 日本国が締結した条約及び確立された国際法規は、これを誠実に遵守することを必要とする。

第九十九条〔憲法尊重擁護の義務〕天皇又は摂政及び国務大臣、国会議員、裁判官その他の公務員は、この憲法を尊重し擁護する義務を負ふ。

第十一章　補則

第百条〔施行期日と施行前の準備行為〕この憲法は、公布の日から起算して六箇月を経過した日から、これを施行する。

② この憲法を施行するために必要な法律の制定、参議院議員の選挙及び国会召集の手続並びにこの憲法を施行するために必要な準備手続は、前項の期日よりも前に、これを行ふことができる。

第百一条〔参議院成立前の国会〕この憲法施行の際、参議院がまだ成立してゐないときは、その成立するまでの間、衆議院は、国会としての権限を行ふ。

第百二条〔参議院議員の任期の経過的特例〕この憲法による第一期の参議院議員のうち、その半数の者の任期は、これを三年とする。その議員は、法律の定めるところにより、これを定める。

第百三条〔公務員の地位に関する経過規定〕この憲法施行の際現に在職する国務大臣、衆議院議員及び裁判官並びにその他の公務員で、その地位に相応する地位がこの憲法で認められてゐる者は、法律で特別の定をした場合を除いては、この憲法施行のため、当然にはその地位を失ふことはない。但し、この憲法によつて、後任者が選挙又は任命されたときは、当然その地位を失ふ。

に関する犯罪又はこの憲法第三章で保障する国民の権利が問題となつてゐる事件の対審は、常にこれを公開しなければならない。

第七章 財政

第八十三条〔財政処理の権限〕国の財政を処理する権限は、国会の議決に基いて、これを行使しなければならない。

第八十四条〔課税の要件〕あらたに租税を課し、又は現行の租税を変更するには、法律又は法律の定める条件によることを必要とする。

第八十五条〔国費支出及び債務負担の要件〕国費を支出し、又は国が債務を負担するには、国会の議決に基くことを必要とする。

第八十六条〔予算の作成〕内閣は、毎会計年度の予算を作成し、国会に提出して、その審議を受け議決を経なければならない。

第八十七条〔予備費〕予見し難い予算の不足に充てるため、国会の議決に基いて予備費を設け、内閣の責任でこれを支出することができる。

② すべて予備費の支出については、内閣は、事後に国会の承諾を得なければならない。

第八十八条〔皇室財産及び皇室費用〕すべて皇室財産は、国に属する。すべて皇室の費用は、予算に計上して国会の議決を経なければならない。

第八十九条〔公の財産の用途制限〕公金その他の公の財産は、宗教上の組織若しくは団体の使用、便益若しくは維持のため、又は公の支配に属しない慈善、教育若しくは博愛の事業に対し、これを支出し、又はその利用に供してはならない。

第九十条〔会計検査〕国の収入支出の決算は、すべて毎年会計検査院がこれを検査し、内閣は、次の年度に、その検査報告とともに、これを国会に提出しなければならない。

② 会計検査院の組織及び権限は、法律でこれを定める。

第九十一条〔財政状況の報告〕内閣は、国会及び国民に対し、定期に、少くとも毎年一回、国の財政状況について報告しなければならない。

第八章 地方自治

第九十二条〔地方自治の基本原則〕地方公共団体の組織及び運営に関する事項は、地方自治の本旨に基いて、法律でこれを定める。

第九十三条〔地方公共団体の機関、その直接選挙〕地方公共団体には、法律の定めるところにより、その議事機関として議会を設置する。

② 地方公共団体の長、その議会の議員及び法律の定めるその他の吏員は、その地方公共団体の住民が、直接これを選挙する。

第九十四条〔地方公共団体の機能〕地方公共団体は、その財産を管理し、事務を処理し、及び行政を執行する権能を有し、法律の範囲内で条例を制定することができる。

第九十五条〔一の地方公共団体のみに適用される特別法の住民投票〕一の地方公共団体のみに適用される特別法は、法律の定めるところにより、その地方公共団体の住民の投票においてその過半数の同意を得なければ、国会は、これを制定することができない。

訴追の権利は、害されない。

第六章　司法

第七十六条〔司法権の機関と裁判官の職務上の独立〕すべて司法権は、最高裁判所及び法律の定めるところにより設置する下級裁判所に属する。

② 特別裁判所は、これを設置することができない。行政機関は、終審として裁判を行ふことができない。

③ すべて裁判官は、その良心に従ひ独立してその職権を行ひ、この憲法及び法律にのみ拘束される。

第七十七条〔最高裁判所の規則制定権〕最高裁判所は、訴訟に関する手続、弁護士、裁判所の内部規律及び司法事務処理に関する事項について、規則を定める権限を有する。

② 検察官は、最高裁判所の定める規則に従はなければならない。

③ 最高裁判所は、下級裁判所に関する規則を定める権限を、下級裁判所に委任することができる。

第七十八条〔裁判官の身分の保障〕裁判官は、裁判により、心身の故障のために職務を執ることができないと決定された場合を除いては、公の弾劾によらなければ罷免されない。裁判官の懲戒処分は、行政機関がこれを行ふことはできない。

第七十九条〔最高裁判所の構成及び裁判官任命の国民審査〕最高裁判所は、その長たる裁判官及び法律の定める員数のその他の裁判官でこれを構成し、その長たる裁判官以外の裁判官は、内閣でこれを任命する。

② 最高裁判所の裁判官の任命は、その任命後初めて行はれる衆議院議員総選挙の際国民の審査に付し、その後十年を経過した後初めて行はれる衆議院議員総選挙の際更に審査に付し、その後も同様とする。

③ 前項の場合において、投票者の多数が裁判官の罷免を可とするときは、その裁判官は、罷免される。

④ 審査に関する事項は、法律でこれを定める。

⑤ 最高裁判所の裁判官は、法律の定める年齢に達した時に退官する。

⑥ 最高裁判所の裁判官は、すべて定期に相当額の報酬を受ける。この報酬は、在任中、これを減額することができない。

第八十条〔下級裁判所の裁判官〕下級裁判所の裁判官は、最高裁判所の指名した者の名簿によつて、内閣でこれを任命する。その裁判官は、任期を十年とし、再任されることができる。但し、法律の定める年齢に達した時には退官する。

② 下級裁判所の裁判官は、すべて定期に相当額の報酬を受ける。この報酬は、在任中、これを減額することができない。

第八十一条〔最高裁判所の法令審査権〕最高裁判所は、一切の法律、命令、規則又は処分が憲法に適合するかしないかを決定する権限を有する終審裁判所である。

第八十二条〔対審及び判決の公開〕裁判の対審及び判決は、公開法廷でこれを行ふ。

② 裁判所が、裁判官の全員一致で、公の秩序又は善良の風俗を害する虞があると決した場合には、対審は、公開しないでこれを行ふことができる。但し、政治犯罪、出版

律の定めるところにより、その首長たる内閣総理大臣及びその他の国務大臣でこれを組織する。

② 内閣総理大臣その他の国務大臣は、文民でなければならない。

③ 内閣は、行政権の行使について、国会に対し連帯して責任を負ふ。

第六十七条〔内閣総理大臣の指名〕内閣総理大臣は、国会議員の中から国会の議決で、これを指名する。この指名は、他のすべての案件に先だつて、これを行ふ。

② 衆議院と参議院とが異なつた指名の議決をした場合に、法律の定めるところにより、両議院の協議会を開いても意見が一致しないとき、又は衆議院が指名の議決をした後、国会休会中の期間を除いて十日以内に、参議院が、指名の議決をしないときは、衆議院の議決を国会の議決とする。

第六十八条〔国務大臣の任免〕内閣総理大臣は、国務大臣を任命する。但し、その過半数は、国会議員の中から選ばれなければならない。

② 内閣総理大臣は、任意に国務大臣を罷免することができる。

第六十九条〔不信任決議と解散又は総辞職〕内閣は、衆議院で不信任の決議案を可決し、又は信任の決議案を否決したときは、十日以内に衆議院が解散されない限り、総辞職をしなければならない。

第七十条〔内閣総理大臣の欠缺又は総選挙施行による総辞職〕内閣総理大臣が欠けたとき、又は衆議院議員総選挙の後に初めて国会の召集があつたときは、内閣は、総辞職をしなければならない。

第七十一条〔総辞職後の職務続行〕前二条の場合には、内閣は、あらたに内閣総理大臣が任命されるまで引き続きその職務を行ふ。

第七十二条〔内閣総理大臣の職務権限〕内閣総理大臣は、内閣を代表して議案を国会に提出し、一般国務及び外交関係について国会に報告し、並びに行政各部を指揮監督する。

第七十三条〔内閣の職務権限〕内閣は、他の一般行政事務の外、左の事務を行ふ。

一 法律を誠実に執行し、国務を総理すること。

二 外交関係を処理すること。

三 条約を締結すること。但し、事前に、時宜によつては事後に、国会の承認を経ることを必要とする。

四 法律の定める基準に従ひ、官吏に関する事務を掌理すること。

五 予算を作成して国会に提出すること。

六 この憲法及び法律の規定を実施するために、政令を制定すること。但し、政令には、特にその法律の委任がある場合を除いては、罰則を設けることができない。

七 大赦、特赦、減刑、刑の執行の免除及び復権を決定すること。

第七十四条〔法律及び政令への署名と連署〕法律及び政令には、すべて主任の国務大臣が署名し、内閣総理大臣が連署することを必要とする。

第七十五条〔国務大臣訴追の制約〕国務大臣は、その在任中、内閣総理大臣の同意がなければ、訴追されない。但し、これがため、

会を開くことができる。

② 両議院は、各々その会議の記録を保存し、秘密会の記録の中で特に秘密を要すると認められるもの以外は、これを公表し、且つ一般に頒布しなければならない。

③ 出席議員の五分の一以上の要求があれば、各議員の表決は、これを会議録に記載しなければならない。

第五十八条〔役員の選任及び議院の自律権〕両議院は、各々その議長その他の役員を選任する。

② 両議院は、各々その会議その他の手続及び内部の規律に関する規則を定め、又、院内の秩序をみだした議員を懲罰することができる。但し、議員を除名するには、出席議員の三分の二以上の多数による議決を必要とする。

第五十九条〔法律の成立〕法律案は、この憲法に特別の定のある場合を除いては、両議院で可決したとき法律となる。

② 衆議院で可決し、参議院でこれと異なつた議決をした法律案は、衆議院で出席議員の三分の二以上の多数で再び可決したときは、法律となる。

③ 前項の規定は、法律の定めるところにより、衆議院が、両議院の協議会を開くことを求めることを妨げない。

④ 参議院が、衆議院の可決した法律案を受け取つた後、国会休会中の期間を除いて六十日以内に、議決しないときは、衆議院は、参議院がその法律案を否決したものとみなすことができる。

第六十条〔衆議院の予算先議権及び予算の議決〕予算は、さきに衆議院に提出しなければならない。

② 予算について、参議院で衆議院と異なつた議決をした場合に、法律の定めるところにより、両議院の協議会を開いても意見が一致しないとき、又は参議院が、衆議院の可決した予算を受け取つた後、国会休会中の期間を除いて三十日以内に、議決しないときは、衆議院の議決を国会の議決とする。

第六十一条〔条約締結の承認〕条約の締結に必要な国会の承認については、前条第二項の規定を準用する。

第六十二条〔議院の国政調査権〕両議院は、各々国政に関する調査を行ひ、これに関して、証人の出頭及び証言並びに記録の提出を要求することができる。

第六十三条〔国務大臣の出席〕内閣総理大臣その他の国務大臣は、両議院の一に議席を有すると有しないとにかかはらず、何時でも議案について発言するため議院に出席することができる。又、答弁又は説明のため出席を求められたときは、出席しなければならない。

第六十四条〔弾劾裁判所〕国会は、罷免の訴追を受けた裁判官を裁判するため、両議院の議員で組織する弾劾裁判所を設ける。

② 弾劾に関する事項は、法律でこれを定める。

第五章　内閣

第六十五条〔行政権の帰属〕行政権は、内閣に属する。

第六十六条〔内閣の組織と責任〕内閣は、法

日本国憲法

する。

② 両議院の議員の定数は、法律でこれを定める。

第四十四条〔議員及び選挙人の資格〕両議院の議員及びその選挙人の資格は、法律でこれを定める。但し、人種、信条、性別、社会的身分、門地、教育、財産又は収入によつて差別してはならない。

第四十五条〔衆議院議員の任期〕衆議院議員の任期は、四年とする。但し、衆議院解散の場合には、その期間満了前に終了する。

第四十六条〔参議院議員の任期〕参議院議員の任期は、六年とし、三年ごとに議員の半数を改選する。

第四十七条〔議員の選挙〕選挙区、投票の方法その他両議院の議員の選挙に関する事項は、法律でこれを定める。

第四十八条〔両議院議員相互兼職の禁止〕何人も、同時に両議院の議員たることはできない。

第四十九条〔議員の歳費〕両議院の議員は、法律の定めるところにより、国庫から相当額の歳費を受ける。

第五十条〔議員の不逮捕特権〕両議院の議員は、法律の定める場合を除いては、国会の会期中逮捕されず、会期前に逮捕された議員は、その議院の要求があれば、会期中これを釈放しなければならない。

第五十一条〔議員の発言表決の無答責〕両議院の議員は、議院で行つた演説、討論又は表決について、院外で責任を問はれない。

第五十二条〔常会〕国会の常会は、毎年一回これを召集する。

第五十三条〔臨時会〕内閣は、国会の臨時会の召集を決定することができる。いづれかの議院の総議員の四分の一以上の要求があれば、内閣は、その召集を決定しなければならない。

第五十四条〔総選挙、特別会及び緊急集会〕衆議院が解散されたときは、解散の日から四十日以内に、衆議院議員の総選挙を行ひ、その選挙の日から三十日以内に、国会を召集しなければならない。

② 衆議院が解散されたときは、参議院は、同時に閉会となる。但し、内閣は、国に緊急の必要があるときは、参議院の緊急集会を求めることができる。

③ 前項但書の緊急集会において採られた措置は、臨時のものであつて、次の国会開会の後十日以内に、衆議院の同意がない場合には、その効力を失ふ。

第五十五条〔資格争訟〕両議院は、各々その議員の資格に関する争訟を裁判する。但し、議員の議席を失はせるには、出席議員の三分の二以上の多数による議決を必要とする。

第五十六条〔議事の定足数と過半数議決〕両議院は、各々その総議員の三分の一以上の出席がなければ、議事を開き議決することができない。

② 両議院の議事は、この憲法に特別の定のある場合を除いては、出席議員の過半数でこれを決し、可否同数のときは、議長の決するところによる。

第五十七条〔会議の公開と会議録〕両議院の会議は、公開とする。但し、出席議員の三分の二以上の多数で議決したときは、秘密

第三十三条〔不法に逮捕されないことの保障〕何人も、現行犯として逮捕される場合を除いては、権限を有する司法官憲が発し、且つ理由となつてゐる犯罪を明示する令状によらなければ、逮捕されない。

第三十四条〔不法に抑留・拘禁されないことの保障〕何人も、理由を直ちに告げられ、且つ、直ちに弁護人に依頼する権利を与へられなければ、抑留又は拘禁されない。又、何人も、正当な理由がなければ、拘禁されず、要求があれば、その理由は、直ちに本人及びその弁護人の出席する公開の法廷で示されなければならない。

第三十五条〔不法な住居侵入・捜索・押収されないことの保障〕何人も、その住居、書類及び所持品について、侵入、捜索及び押収を受けることのない権利は、第三十三条の場合を除いては、正当な理由に基いて発せられ、且つ捜索する場所及び押収する物を明示する令状がなければ、侵されない。

② 捜索又は押収は、権限を有する司法官憲が発する各別の令状により、これを行ふ。

第三十六条〔拷問及び残虐な刑罰の禁止〕公務員による拷問及び残虐な刑罰は、絶対にこれを禁ずる。

第三十七条〔刑事被告人の権利の保障〕すべて刑事事件においては、被告人は、公平な裁判所の迅速な公開裁判を受ける権利を有する。

② 刑事被告人は、すべての証人に対して審問する機会を充分に与へられ、又、公費で自己のために強制的手続により証人を求める権利を有する。

③ 刑事被告人は、いかなる場合にも、資格を有する弁護人を依頼することができる。被告人が自らこれを依頼することができないときは、国でこれを附する。

第三十八条〔自白強要の禁止と自白の証拠能力の限界〕何人も、自己に不利益な供述を強要されない。

② 強制、拷問若しくは脅迫による自白又は不当に長く抑留若しくは拘禁された後の自白は、これを証拠とすることができない。

③ 何人も、自己に不利益な唯一の証拠が本人の自白である場合には、有罪とされ、又は刑罰を科せられない。

第三十九条〔重ねて刑事責任を問われないことの保障〕何人も、実行の時に適法であつた行為又は既に無罪とされた行為については、刑事上の責任を問はれない。又、同一の犯罪について、重ねて刑事上の責任を問はれない。

第四十条〔刑事補償請求権〕何人も、抑留又は拘禁された後、無罪の裁判を受けたときは、法律の定めるところにより、国にその補償を求めることができる。

第四章 国会

第四十一条〔国会の地位〕国会は、国権の最高機関であつて、国の唯一の立法機関である。

第四十二条〔二院制〕国会は、衆議院及び参議院の両議院でこれを構成する。

第四十三条〔両議院の組織〕両議院は、全国民を代表する選挙された議員でこれを組織

行事に参加することを強制されない。

③ 国及びその機関は、宗教教育その他いかなる宗教的活動もしてはならない。

第二十一条〔集会、結社及び言論、出版、通信秘密の保護〕集会、結社及び言論、出版その他一切の表現の自由は、これを保障する。

② 検閲は、これをしてはならない。通信の秘密は、これを侵してはならない。

第二十二条〔居住、移転、職業選択、外国移住及び国籍離脱の自由〕何人も、公共の福祉に反しない限り、居住、移転及び職業選択の自由を有する。

② 何人も、外国に移住し、又は国籍を離脱する自由を侵されない。

第二十三条〔学問の自由〕学問の自由は、これを保障する。

第二十四条〔家庭関係における個人の尊厳と両性の本質的平等〕婚姻は、両性の合意のみに基いて成立し、夫婦が同等の権利を有することを基本として、相互の協力により、維持されなければならない。

② 配偶者の選択、財産権、相続、住居の選定、離婚並びに婚姻及び家族に関するその他の事項に関しては、法律は、個人の尊厳と両性の本質的平等に立脚して、制定されなければならない。

第二十五条〔生存権及び国民生活の社会的進歩向上に努める国の義務〕すべて国民は、健康で文化的な最低限度の生活を営む権利を有する。

② 国は、すべての生活部面について、社会福祉、社会保障及び公衆衛生の向上及び増進に努めなければならない。

第二十六条〔教育を受ける権利と受けさせる義務〕すべて国民は、法律の定めるところにより、その能力に応じて、ひとしく教育を受ける権利を有する。

② すべて国民は、法律の定めるところにより、その保護する子女に普通教育を受けさせる義務を負ふ。義務教育は、これを無償とする。

第二十七条〔勤労の権利と義務、勤労条件の基準及び児童酷使の禁止〕すべて国民は、勤労の権利を有し、義務を負ふ。

② 賃金、就業時間、休息その他の勤労条件に関する基準は、法律でこれを定める。

③ 児童は、これを酷使してはならない。

第二十八条〔勤労者の団結権・団体交渉権・団体行動権〕勤労者の団結する権利及び団体交渉その他の団体行動をする権利は、これを保障する。

第二十九条〔財産権の保障〕財産権は、これを侵してはならない。

② 財産権の内容は、公共の福祉に適合するやうに、法律でこれを定める。

③ 私有財産は、正当な補償の下に、これを公共のために用ひることができる。

第三十条〔納税の義務〕国民は、法律の定めるところにより、納税の義務を負ふ。

第三十一条〔法定手続の保障〕何人も、法律の定める手続によらなければ、その生命若しくは自由を奪はれ、又はその他の刑罰を科せられない。

第三十二条〔裁判を受ける権利の保障〕何人も、裁判所において裁判を受ける権利を奪

第三章　国民の権利及び義務

第十条〔国民たる要件〕　日本国民たる要件は、法律でこれを定める。

第十一条〔基本的人権〕　国民は、すべての基本的人権の享有を妨げられない。この憲法が国民に保障する基本的人権は、侵すことのできない永久の権利として、現在及び将来の国民に与へられる。

第十二条〔自由及び権利の保持義務と公共福祉性〕　この憲法が国民に保障する自由及び権利は、国民の不断の努力によって、これを保持しなければならない。又、国民は、これを濫用してはならないのであって、常に公共の福祉のためにこれを利用する責任を負ふ。

第十三条〔個人の尊重と公共の福祉〕　すべて国民は、個人として尊重される。生命、自由及び幸福追求に対する国民の権利については、公共の福祉に反しない限り、立法その他の国政の上で、最大の尊重を必要とする。

第十四条〔平等原則、貴族制度の否認及び栄典の限界〕　すべて国民は、法の下に平等であって、人種、信条、性別、社会的身分又は門地により、政治的、経済的又は社会的関係において、差別されない。

② 華族その他の貴族の制度は、これを認めない。

③ 栄誉、勲章その他の栄典の授与は、いかなる特権も伴はない。栄典の授与は、現にこれを有し、又は将来これを受ける者の一代に限り、その効力を有する。

第十五条〔公務員の選定罷免権、公務員の本質、普通選挙の保障及び投票秘密の保障〕　公務員を選定し、及びこれを罷免することは、国民固有の権利である。

② すべて公務員は、全体の奉仕者であって、一部の奉仕者ではない。

③ 公務員の選挙については、成年者による普通選挙を保障する。

④ すべて選挙における投票の秘密は、これを侵してはならない。選挙人は、その選択に関し公的にも私的にも責任を問はれない。

第十六条〔請願権〕　何人も、損害の救済、公務員の罷免、法律、命令又は規則の制定、廃止又は改正その他の事項に関し、平穏に請願する権利を有し、何人も、かかる請願をしたためにいかなる差別待遇も受けない。

第十七条〔公務員の賠償責任〕　何人も、公務員の不法行為により、損害を受けたときは、法律の定めるところにより、国又は公共団体に、その賠償を求めることができる。

第十八条〔奴隷的拘束及び苦役からの自由〕　何人も、いかなる奴隷的拘束も受けない。又、犯罪に因る処罰の場合を除いては、その意に反する苦役に服させられない。

第十九条〔思想及び良心の自由〕　思想及び良心の自由は、これを侵してはならない。

第二十条〔信教の自由、国の宗教活動の禁止〕　信教の自由は、何人に対してもこれを保障する。いかなる宗教団体も、国から特権を受け、又は政治上の権力を行使してはならない。

② 何人も、宗教上の行為、祝典、儀式又は

第一章　天皇

第一条〔天皇の地位と主権在民〕　天皇は、日本国の象徴であり日本国民統合の象徴であつて、この地位は、主権の存する日本国民の総意に基く。

第二条〔皇位の世襲〕　皇位は、世襲のものであつて、国会の議決した皇室典範の定めるところにより、これを継承する。

第三条〔内閣の助言と承認及び責任〕　天皇の国事に関するすべての行為には、内閣の助言と承認を必要とし、内閣が、その責任を負ふ。

第四条〔天皇の権能と権能行使の委任〕　天皇は、この憲法の定める国事に関する行為のみを行ひ、国政に関する権能を有しない。

② 天皇は、法律の定めるところにより、その国事に関する行為を委任することができる。

第五条〔摂政〕　皇室典範の定めるところにより摂政を置くときは、摂政は、天皇の名でその国事に関する行為を行ふ。この場合には、前条第一項の規定を準用する。

第六条〔天皇の任命行為〕　天皇は、国会の指名に基いて、内閣総理大臣を任命する。

② 天皇は、内閣の指名に基いて、最高裁判所の長たる裁判官を任命する。

第七条〔天皇の国事行為〕　天皇は、内閣の助言と承認により、国民のために、左の国事に関する行為を行ふ。

一　憲法改正、法律、政令及び条約を公布すること。
二　国会を召集すること。
三　衆議院を解散すること。
四　国会議員の総選挙の施行を公示すること。
五　国務大臣及び法律の定めるその他の官吏の任免並びに全権委任状及び大使及び公使の信任状を認証すること。
六　大赦、特赦、減刑、刑の執行の免除及び復権を認証すること。
七　栄典を授与すること。
八　批准書及び法律の定めるその他の外交文書を認証すること。
九　外国の大使及び公使を接受すること。
十　儀式を行ふこと。

第八条〔財産授受の制限〕　皇室に財産を譲り渡し、又は皇室が、財産を譲り受け、若しくは賜与することは、国会の議決に基かなければならない。

第二章　戦争の放棄

第九条〔戦争の放棄と戦力及び交戦権の否認〕　日本国民は、正義と秩序を基調とする国際平和を誠実に希求し、国権の発動たる戦争と、武力による威嚇又は武力の行使は、国際紛争を解決する手段としては、永久にこれを放棄する。

② 前項の目的を達するため、陸海空軍その他の戦力は、これを保持しない。国の交戦権は、これを認めない。

○日本国憲法

（昭和二十一年十一月三日公布）
（昭和二十二年五月三日施行）

朕は、日本国民の総意に基いて、新日本建設の礎が、定まるに至つたことを、深くよろこび、枢密顧問の諮詢及び帝国憲法第七十三条による帝国議会の議決を経た帝国憲法の改正を裁可し、ここにこれを公布せしめる。

御名 御璽

昭和二十一年十一月三日

内閣総理大臣兼
外務大臣　　　吉田　茂
国務大臣男爵幣原喜重郎
司法大臣　　　木村篤太郎
内務大臣　　　大村　清一
文部大臣　　　田中耕太郎
農林大臣　　　和田　博雄
国務大臣　　　斎藤　隆夫
逓信大臣　　　一松　定吉
商工大臣　　　星島　二郎
厚生大臣　　　河合　良成
国務大臣　　　植原悦二郎
運輸大臣　　　平塚常次郎
大蔵大臣　　　石橋　湛山
国務大臣　　　金森徳次郎
国務大臣　　　膳　桂之助

日本国憲法

日本国民は、正当に選挙された国会における代表者を通じて行動し、われらとわれらの子孫のために、諸国民との協和による成果と、わが国全土にわたつて自由のもたらす恵沢を確保し、政府の行為によつて再び戦争の惨禍が起ることのないやうにすることを決意し、ここに主権が国民に存することを宣言し、この憲法を確定する。そもそも国政は、国民の厳粛な信託によるものであつて、その権威は国民に由来し、その権力は国民の代表者がこれを行使し、その福利は国民がこれを享受する。これは人類普遍の原理であり、この憲法は、かかる原理に基くものである。われらは、これに反する一切の憲法、法令及び詔勅を排除する。

日本国民は、恒久の平和を念願し、人間相互の関係を支配する崇高な理想を深く自覚するのであつて、平和を愛する諸国民の公正と信義に信頼して、われらの安全と生存を保持しようと決意した。われらは、平和を維持し、専制と隷従、圧迫と偏狭を地上から永遠に除去しようと努めてゐる国際社会において、名誉ある地位を占めたいと思ふ。われらは、全世界の国民が、ひとしく恐怖と欠乏から免かれ、平和のうちに生存する権利を有することを確認する。

われらは、いづれの国家も、自国のことのみに専念して他国を無視してはならないのであつて、政治道徳の法則は、普遍的なものであり、この法則に従ふことは、自国の主権を維持し、他国と対等関係に立たうとする各国の責務であると信ずる。

日本国民は、国家の名誉にかけ、全力をあげてこの崇高な理想と目的を達成することを誓ふ。

日本国憲法

【著者紹介】

片居木　英人（かたいぎ　ひでと）
1962年（昭和37年）生まれ
現　在　十文字学園女子大学 教授
■はじめに、1章、3章、4章、15章　担当■

福岡　賢昌（ふくおか　たかまさ）
1976年（昭和51年）生まれ
現　在　法政大学グローバル教養学部（GIS）教授
■9章、10章、11章、12章、13章、各章「*Words & Phrases*」、おわりに　担当■

長野　典右（ながの　のりあき）
1964年（昭和39年）生まれ
現　在　全日本民主医療機関連合会勤務
■2章、6章、7章、8章、14章　担当■

安達　宏之（あだち　ひろゆき）
1968年（昭和43年）生まれ
現　在　㈲洛思社 代表取締役、十文字学園女子大学 非常勤講師、
　　　　上智大学法学部 非常勤講師
■5章　担当■

【改訂新版】日本国憲法へのとびら（2訂）―いま、主権者に求められること―

平成27年3月31日　初　版 1 刷 発行
平成28年9月20日　改　訂 1 刷 発行
平成31年3月30日　改訂新版1刷発行
令和4年3月30日　改訂新版2訂1刷発行

著　者　片居木　英人
　　　　福　岡　賢　昌
　　　　長　野　典　右
　　　　安　達　宏　之

発行者　林　充
発行所　法律情報出版株式会社　〒169-0073　東京都新宿区百人町1-23-10 M&T 4F
　　　　TEL (03) 3367-1360　　FAX (03) 3367-1361

©Kataigi Hideto, Fukuoka Takamasa, Nagano Noriaki, Adachi Hiroyuki 2022　Printed in Japan
ISBN978-4-939156-45-8　C3032　定価はカバーに表示してあります。
乱丁本、落丁本がございましたなら小社宛にご連絡ください。送料小社負担にてお取り替えいたします。

― ご意見、ご感想などお寄せください ―

FAX (03) 3367-1361　　E-mail:office@legal-info.co.jp

最新情報は、https://www.legal-info.co.jpをご覧ください。